大人になっても
「書くこと」を
好きでいたい君へ

シナリオ・センターが
伝える

14歳からの創作ノート

新井一樹

MISO NOTE

KADOKAWA

はじめに

「マジカル・ミソ帳ツアー」がはじまる

■物語を楽しく書きつづける

寄ってらっしゃい、見てらっしゃい！

・物語を書くのが大好きな人、
・物語を想像するのが大好きな人、
・物語を書くのは大好きだけど、最近ちょっと書けていない人、

みなさんを「マジカル・ミソ帳ツアー」へご招待。

このツアーへ参加すれば、物語のアイデアが湧いてくるし、物語を書きあげる力もつく！　なによりも、物語を楽しく書きつづけられますよ！

なんて怪しげなツアーだ、と思ったそこのあなた！　ちょっとお待ちください。大好きな物語つくりでも、いや、大好きだからこそ「なんでもっとおもしろく書けないんだろう」と自信を失ったり、「このまま物語を書いていて、意味あるのかな」と不安になったり、「物語なんて書いているの？」と言われて戸惑ったり……そんな経験ありませんか？

好きなことを好きなままでいることは、簡単ではありません。ためしに、お父さんやお母さんに「十四歳の時に、なにが好きだった？」と聞いてみてください。昔は好きだったけど、い

まは遠ざかってしまったものがある、なんて話もでてくるはずです。

そこで「マジカル・ミソ帳ツアー」なのです！「物語を書きつづけたい！」「おもしろい物語を書けるようになりたい！」、そんなあなたに贈る、物語つくりが楽しくなるツアーです！

あなたの頭、腕、眼をつくり替える

なんで物語を楽しく書きつづけられるのか？それは「マジカル・ミソ帳ツアー」に参加すると、あなたの頭、腕、眼が「作家の頭」「作家の腕」「作家の眼」に変わるからです。ということ、さらに怪しげに感じるかもしれません。ですが、ここからは真面目な話。

「作家の頭」とは、物語のつくり方を理解し、物語のアイデアを考える頭。

「作家の腕」とは、あなたが考えたアイデアを、物語の形にする腕。

「作家の眼」とは、人や社会やものごとを眺め、あなた独自の視点を物語に加える眼。

この三つは、あなたが物語を楽しく書きつづけるために欠かせません。なぜなら物語を書くほどに生まれる、「もっとおもしろくしたい」という気持ちに、自己流で応えるにはやっぱりちょっと限界があるからです。そこで、あなたの頭と腕と眼を、作家仕様にしたいのです。

では、どうすれば「作家の頭」「作家の腕」「作家の眼」になるのか。まずはあなたの頭を「作家の頭」につくり替えます。そのための物語のつくり方をツアーのなかでお伝えします。

■シナリオ・センター式の物語のつくり方を、あなたに

物語のつくり方と一口にいっても、いろいろな方法があります。「マジカル・ミソ帳ツアー」では、シナリオ・センター式の物語のつくり方をお伝えします。

そもそもシナリオ・センターというのは、映画やテレビドラマ、ラジオドラマなど2000本以上の脚本を執筆した新井一《あらいはじめ》（この本を書いている私の祖父でもあります）が創った学校です。脚本や小説など物語をつくりたい方々に「シナリオの基礎技術」という表現技術をお伝えしています。シナリオ・センターからは、脚本家や小説家、演劇の台本を書く劇作家、マンガの原作を書くマンガ原作者、アニメのシナリオを書くアニメシナリオライター、ゲームのシナリオを書くゲームシナリオライターなど、プロとして活躍している方々が700名以上も誕生しています。さらに、2010年から小・中学校への出前授業、2021年には、「考える部屋」という物語つくりが大好きな十代向けの創作講座をはじめました。

つまり、新井一がまとめた「シナリオの基礎技術」を基にしたシナリオ・センター式の物語のつくり方なら、小学生から大人まで楽しく物語をつくれちゃうというわけです！

本書には四人の人物が登場しますが、彼らはこれまでシナリオ・センターを受講されてきた七万人の方々と、いままで出会ってきたのべ5000人以上の小・中学生たちをモデルにしています。

・物語つくりを、昔みたいに楽しめない
・部活や勉強が忙しくて、創作の時間が取れない
・頑張って書いているのに、思うように書けない
・物語を書きたいけど、少し自信を失っている

などなど、みなさんと同じように彼らは創作の悩みを抱えています。四人と一緒に「マジカル・ミソ帳ツアー」に参加することで、あなたはプロと同じ表現技術を身につけ、プロと同じように楽しく物語を書きつづけることができます。

だって、考えてみてください。いま現在プロとして活躍している人たちは、子どもの頃に好きだったことをずっとつづけている大人たちの代表ですから!

■あなただけの創作ノート=「ミソ帳」を手に入れる

これからみなさんに、プロの表現技術をどんどんお伝えしていきます。もちろん、わかりやすく。すると、みなさんの「作家の頭」「作家の腕」「作家の眼」は動きだし、さまざまなアイデアが湧きでてきます。それらのアイデアは、大きく三つにわけられます。

・すぐに物語に使えるアイデア
・いつか物語に使えるかもしれないアイデア
・組み合わせによって使えるかもしれないアイデア
アイデアは、どんなものでも書きとめてください。意外なアイデアが、意外なタイミングで物語に使えるからです。そんなあなたのアイデアを書きとめる創作ノートを、シナリオ・センターでは「ミソ帳」と呼びます。ネタ帳ではなく、「ミソ帳」です。日本古来の発酵食品である味噌《みそ》のように、みなさんのアイデアが発酵する創作ノートです。書くほどに、おいしいアイデアになる、というわけです！　楽しそうでしょ？
「作家の頭」「作家の腕」「作家の眼」と「ミソ帳」があれば、あなたは大好きな物語を楽しく書きつづけることができます。

そんなことが……起きるのです！　ほらほらそこの十四歳のみなさん、これから十四歳になるみなさん、かつて十四歳だったみなさん。大満足まちがいなしの、「マジカル・ミソ帳ツアー」がはじまるよ！

CONTENTS

第1章 ストーリーの落とし穴からぬけだせ！ 登場人物のつくり方

第2章 登場人物らしい「姿」を描きだせ！ 登場人物の動かし方

第3章 主人公をいきいきさせろ！ 物語の設定のつくり方

第4章

主人公には坂道を歩かせよ！
構成の立て方

第5章

楽しく書きつづけよう！
創作にまつわるお悩み解消

デザイン　吉村 亮　大橋知恵
(Yoshi-des.)
イラスト　小尾洋平（オビワン）
著者エージェント　アップルシード・
エージェンシー
校閲　鷗来堂
編集　𡈽屋萌美

「マジカル・ミソ帳ツアー」に参加する登場人物

真嶋修二

（ましま しゅうじ）

小学三年生から光と同じクラスで、その頃は一緒にマンガを描いていた。いまは部活と塾で忙しく、なんとなく書くことから遠ざかっている。たまに、物語を書きたいと思うことがある。
サッカー部所属。

小早川 光

（こばやかわ ひかる）

中学二年生。小学二年生くらいから、物語を考えるのが好きで、いまでも物語を書いている。勢いでどんどん物語が書ける。けれど最近なにか足りない気がして、昔のように自分の作品を人に見せられないでいる。

みなさんと一緒に「マジカル・ミソ帳ツアー」に参加する四人の登場人物をご紹介。参加といっても、ワケありの彼らは、このツアーに巻き込まれるのですが……さてさて、どうなることやら。

村田理三郎

（むらた りざぶろう）

三十四歳。学生時代は小説家を夢見たが、「理系の自分なんか……」とあきらめた。演劇部の顧問だが、いいアドバイスをする自信がない。数学の教師で、光たちのクラスの副担任。一部の生徒から「リザブー」と呼ばれている。

大田垣さやか

（おおたがき さやか）

幼い頃から、物語を読むのも書くのも好き。演劇部で脚本を担当している。昔からものを書くのが好きだったから、いい脚本を書けると思っていたけれど、発表会では手応えがなく、悩んでいる。光と修二のクラスメイト。

プロローグ

ぼくたちは、このままでいいのかな？

人前で発表するって、どんな気持ち⁉

どん帳が上がると、芝居を終えた演劇部の連中が深々と頭を下げる。クラスメイトの大田垣さやかが、みんなの前で挨拶《あいさつ》をする。いま発表した物語は、大田垣さやかがイチから考えたらしい。すごいな、大田垣さやか！

周りの生徒は眠そうに目をこすったり、クスクス笑ったり、気のない拍手をしたりしている。なんだか癪《しゃく》にさわって、おれは舞台に向かって力いっぱい拍手を送る。

パチパチパチパチパチ！　パチパチパチパチパチ‼

「ひーちゃん、ひーちゃん！　もういいって」

うしろに座る修二の声で、ふと我に返る。どうもおれの拍手は、ちょっと浮いていたらしい。

おれは拍手する手を止めて、修二のほっぺたを手ではさむ。

「違うって。大田垣さやかに敬意を表して……」

そこまで言いかけると、修二はクソ真面目な顔に、呆《あき》れた表情まで加えて、おれの手をどかす。おれは仕方なく、ヘラヘラと笑う。

「ひーちゃんは、いつもそうやって」

「修二さぁ、いい加減『ひーちゃん』ってやめろよ。『こばやかわ』とか『ひかる』とか、他の呼び方があるだろう。おれら、中学二年だぜ」

「なんで？　ひーちゃんは『ひーちゃん』じゃん。それに……」

修二がなにか言いかけた時、ざわつく体育館に我らが副担任「リザブー」こと、村田理三郎大先生の一切無駄のないアナウンスが響く。発表会が終了したこと、指示された順にパイプ椅子を片付けること、片付けたらクラスに戻ることを言いわたす。いかにも数学教師って感じのリザブーが、演劇部の顧問ってちょっと意外ではある。

三年たちが、運動不足のひつじのように体育館の出口へ向かう。

おれは、演劇部が舞台上のセットを、テキパキと片付ける様子をぼんやり眺める。大田垣さやかも、部員たちと一緒に椅子や机を片付けている。

いまどんな気持ちなんだ、大田垣さやか。物語つくりが楽しいのはわかる。でも、人前で自分が書いたものを発表するなんて、怖く……ないのかよ。

おれは握りこぶしに、力を込める。この腕から、もっとおもしろい物語が生みだされるはずなのに……。


教室に戻ると、誰もがさっきまでの発表のことなんか忘れてしゃべったり、部活の用意をしたりしている。「そんなもんか……」と教室を眺めながら帰り支度をしていると、すまなそうな顔をした修二がおれの席にやってくる。

「ひーちゃん、さっきの拍手だけど。もしかして、本当に大田垣さんへ敬意を表してたのなら、ごめん。なんていうか」

「いちいちそんなことで謝んなよ。それに、別にたいした意味はねぇよ」

「そうなの？　でもさ、ひーちゃんだって物語を書いてるでしょ？　大田垣さんの気持ちがわかるから、それでって」

おれは教室の窓から、体育館に目をやる。大田垣さやかの気持ちを想像してみる。おれだったら……あんな反応は悔しいし、それに恥ずかしい。それでも大田垣さやかみたいに舞台に立って、人前にでられるのか？　おれには……きっとできない。

「ねえ、ひーちゃんも物語を発表したら？　ぼく、ひーちゃんが書く物語、好きだよ」

修二の真面目が張りついたような顔で言われると、悪い気はしない。悪い気はしないけど、大きなお世話だ。

「修二がやれば。昔みたいにさっ」

おれはかばんを持って、廊下へ向かう。この話は、これでおしまい。

「ねぇ、ひーちゃん！」

「ん？」

振り返ると、修二はいつになくさみしそうな顔をこちらへ向ける。

「ぼくたちは、このままでいいのかな？」

修二がじっと、こちらを見る。おれは修二から目を逸《そ》らし、背を向ける。修二の視線を背中に感じたまま、バイバイと手を振る。

この本の使い方

この本では「作家の頭」「作家の腕」「作家の眼」が大切なキーワードになっています。四人の登場人物と一緒に、みなさんも考えながらこの本を読み進めることで、「マジカル・ミソ帳ツアー」を存分に楽しめて、創作ノートも充実してきます。以下の二つのポイントが出てきたら、立ち止まって考えたり、ミソ帳にメモしたりしてくださいね。

「Q」の問題は、「作家の頭」を使って登場人物と一緒に考えよう！

読み進めるなかで、ナビゲーターから登場人物へ問題が投げかけられることがあります。その時には、ただ読むだけでなく、みなさんも一緒に自分の答えを考えてみてください。正解・不正解はありません！　ミソ帳に書いておけば、あとあとアイデアとして使えるかもしれません。

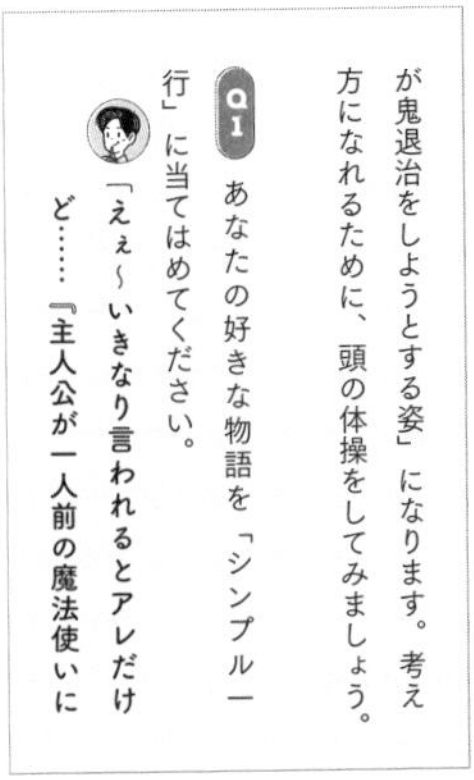
が鬼退治をしようとする姿」になります。考え方になれるために、頭の体操をしてみましょう。

Q1 あなたの好きな物語を「シンプル一行」に当てはめてください。

「えぇ～いきなり言われるとアレだけど……『主人公が一人前の魔法使いに

「作家の腕」「作家の眼」アイコンは、大切な備忘録！

それぞれの章で、どうすれば「作家の腕」と「作家の眼」を鍛えたり、意識したりできるのか、備忘録としてメモをいれてあります。創作で迷った時には、このメモに立ち戻りましょう。

第0章

ミソ帳を持って、旅にでよう

エピソードゼロ

図書室の不思議なノート

■物語を読むのと、物語をつくるの、どっちが好き!?

なんとなくまっすぐ家に帰る気になれないおれは、グラウンドで基礎練習をはじめた運動部を横目に、校舎へ戻る。とはいえ、帰宅部が放課後も学校に残ろうと思ったら、屋上か図書室の二択しかない。階段を上りかけて、止まる。屋上は、三年がいたらめんどうだ。

放課後の図書室には、誰もいないようだ。グラウンドから、運動部独特のわけのわからない

掛け声が聞こえてくる。修二もあのなかで声をだしていると思うと、なんだか笑えてくる。

夕陽が、図書室の本を照らす。

ずらっと並んだ本を見ていると、途方もない気持ちにもなるし、計り知れない世界の入り口に立っているようにも感じる。手のひらで、本の背表紙をなでながら歩いてみる。

突然、ワッと背中を叩かれて、「ヒィ」と情けない声がでる。振り返ると、サッカー部の練習着姿の修二が、声を殺して笑っている。

「なにすんだよ！　部活は？」

「いや、ひーちゃんが校舎に入って行くのが見えたから、こっそりつけてきた」

「は？　怒られないの？」

修二は、おれの問いには答えず、さっきのおれの真似をして、本の背表紙をなでて歩きだす。

おれのことを、心配しているのだろう。ガキの頃からそうだ。

修二の背中をぼんやり眺めながら、あとにつづく。修二が不意に立ち止まる。

「書けるなら、書きたいよ」

「え？」

おれからは、修二の表情はよく見えない。

「なにかお探しかな？」

急に声を掛けられて、今度は修二も一緒に「ヒィ」と声を上げる。

二人してゆっくり振り返ると、司書のおっさん？　いや、おっさんというよりじいさんが、ニコニコしながら立っている。明らかに校長よりも年上だ。朱色のカーディガンに、ツイードのジャケットといった格好だけれど、フライドチキンのじいさんにも似ている。

おれらが肩をすくめて固まっていると、司書じいさんはニコニコしながら問いかけてくる。

「君たちは物語を読むのと、物語をつくるの、どっちが好きかな？」

修二と、顔を見合わせる。

そんな二択あるか？　ふつう「物語を読むのは好きか？」一択だろう。

「そう。物語つくりね」

おれらの答えを待つことなく、司書じいさんは話を進める。

「あっちの本棚を見てごらん、なにが見えるかな？」

司書じいさんが、図書室の奥を指差す。窓がなく薄暗い一角だ。

「本が並んでるようにしか見えませんけど……」

修二が、いぶかしげに言う。司書じいさんは、気にせずニコニコしている。

「あなたはどうかな？」

司書じいさんがニコニコしたまま、おれに問いかける。おれは仕方なく、もう一度奥の方を見る。ん？　おれは目を凝らす。なんか光った気がする。

「なら、あなたから」

そう言うと、司書じいさんはさっき光ったあたりへ向かい、ニコニコしながらなにかを手にして戻ってくる。

「こちらをどうぞ」

司書じいさんは、おれの手をとって古めかしいノートを乗せる。司書じいさんの手の添え方があまりにも優しいから、拒否する間もなく受け取ってしまった。

「貸出の手続きは済んでますよ。小早川光さん」

おれと修二は、顔を見合わせる。そして、ノートに目をやる。

一体、このノートはなんなんだ。ってか、勝手に手続きしているし、名前も知っているし。司書じいさん、怪しすぎるだろう。

修二が、なにかを言おうとすると、司書じいさんが静かな声で言う。

「書きつづけることが、才能ですよ」

え？　なに？　なんのこと？

顔を見合わせるおれらをよそに、司書じいさんはニコニコしたまま図書室の奥へ消えて行く。

■君は、物語を書きたいんだろ？

「いけね！　戻らなきゃ」

修二が、あわてて図書室からでて行く。何度も振り返って、心配そうにおれのことを見る。

そんな修二の姿を見送ると、なんとなしにノートに目をやる。

「ミソ……帳？」

表紙には、「ミソ帳」と書かれている。なんか、変な名前のノートだな。背表紙には『ミソ帳』～マジカル・ミソ帳ツアーがはじまる～」とある。

おれは、図書室のはじっこの席に座って、ミソ帳とかいうノートを机の上に置いたまま、ボーッと外の風景を眺める。グラウンド、走りまわる運動部、黄色に色づいたイチョウの木、その先の体育館。不意に修二の言葉が頭をよぎる。

「『ぼくたちは、このままでいいのかな？』って、あれ、なんだったんだろ」

「ねぇ、意味深《いみしん》だよね～」

ん？　おれは図書室のなかを見回す。誰かなんか言った？　周りには誰もいない。でも、空耳にしてはあまりにもリアルだ。

「あ、ごめん。驚かせた？　ここで～す！　お～い！」

やっぱり声がする。声のする方に耳をすませる。「ミソ帳」と書かれたノートから聞こえた気がする。

「あ、そうそう。察しがいいね！　ちょっと開けてもらえます？　あ・け・て～」

さっきから、わけがわからないことがつづく。おれは、恐る恐るミソ帳の表紙を二、三回さわってみる。別に変な感じはない。

「あ、ゆっくりでお願いしますね」

なんか、リクエストまでしてくる。

いやいや、開けないでおこう。「さわらぬ神に祟《たた》りなし」！　返却しよう。そう思って、ミソ帳を持って立ち上がると、

「ちょっと、それじゃあ、あなたの物語がはじまらないんですけど～！」

ミソ帳が小刻みに震える。

思わずミソ帳から手を離す。ミソ帳が床に落ちてページが開く。

その瞬間、

「あぁ、もう。だから『ゆっくりで』って言ったのに！」

ネコ型ロボットに頼ってばかりのアニメの主人公に似た、スマートフォンサイズのちっさいおっさんが、ミソ帳の上で尻餅をついたまま口を尖らす。明らかに、声の主だ。

ちっさいおっさんは、ミソ帳の上に立つと、ズボンの両脇をつまんで、うやうやしくお辞儀をする。

「ミソ帳の妖精、かずちゃんです。どうぞ、よろしく」

かずちゃんと名乗るちっさいおっさんは、おれの方を見てニコニコしている。

おれの顔は、相当ひきつっているはずだ。

「あぁ〜そのリアクション、もうね、よくあることなんで、大丈夫！『妖精って、おじさんなの？』『そもそも妖精って、なに？』ってとこでしょ。おじさん、そういうこと、もう気にしないから。妖精のイメージとの整合性っていうの？　取る気もないから。そちらさんも、細かいことはお気になさらず」

いや、なんかそういうことでは……と思うおれの気持ちをよそに、ちっさいおっさんが、早口でまくし立てる。

「そんなわけで、ちょっとミソ帳を机の上に戻してもらえるかい。机の方が居心地いいのよ」

おれは言われるがまま、ミソ帳を机の上にゆっくり乗せる。

「あ、あのさ。おっさんは……」

ちっさいおっさんが、パンパンッと手を叩く。

「さぁさぁ寄ってらっしゃい、見てらっしゃい！　『マジカル・ミソ帳ツアー』がはじまるよ!!」

「えっ!?　なに？　マジカル？　マジカルなに？」

『マジカル・ミソ帳ツアー』！　物語つくりが、どんどん楽しくなるツアーのこと。ミソ帳を手にしてるってことは、小早川光氏。いや、ひーちゃん。**君は、物語を書きたいんだろ？**」

「いや、このノートは、司書のじいさんに渡されただけで……」

おれの言葉に、ちっさいおっさんは目を丸くする。

「あら、やだ！　てことは、もう予約済み!?　それなら話がはやい。いっちょ行きますかぁ～」

「いやいやいやいや!!」

おれは思わず、両手を前に突きだして、ちっさいおっさんを止めようとする。

1

「マジカル・ミソ帳ツアー」へようこそ

■物語の大海原へこぎだそう

「ちょ、ちょっと待って。なんの準備もしてないし。ってか、なんだよ、その怪しげなツアー」

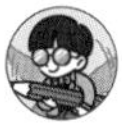
「あら？　ツアーのことはご存じない？　こりゃ失敬。『マジカル・ミソ帳ツアー』は物語つくりに欠かせない四つの島を巡るツアーです。特別な準備はなし。必要なのは『物語をつくりたい』って気持ちだけ！」

さぁいよいよ「マジカル・ミソ帳ツアー」が、はじまります。
「マジカル・ミソ帳ツアー」とは、「物語をつくりたい」「物語がうまく書けるようになりたい」というみなさんが、楽しみながら物語つくりのポイントを巡っていくツアーです。

ツアーで巡るのは、四つの島。

・「登場人物を生みだす島」
・「登場人物を動かす島」
・「登場人物を投入する島」
・「登場人物を変化させる島」

なんでこんなツアーがあるのかというと、**物語つくりというのは、大海原《おおうなばら》にたった一人で舟をだすようなものだからです。海図もなければ、コンパスもない。**それはそれでスリリングですが、そればかりでは、いつまで経っても動ける範囲が広がらないし、いつか難破してしまうかもしれません。

四つの島を手がかりにすれば、みなさんの創造力の舟は、物語の大海原をより遠くまで進んでいけます。しかも、楽しみながら！

スランプは、成長している証拠

「いや、ホントに待ってよ。だって、いままでも物語を書いてこられたし」

「確かにね。でもさ、ひーちゃん。書きはじめた頃のように、ただ楽しいから物語を書くっていうのがむずかしくなってきてない？」

小学生の頃は、アクションものが好きなら、アクションシーンやバトルシーンを書いたり、コメディが好きならギャグを考えたり、SF・ファンタジー系が好きなら、それっぽい設定をつくったりして、自分が好きな作品の雰囲気に近づけば満足できたはずです。ですが、年齢が上がるにつれて、それでは満足できなくなります。みなさんにも覚えがありませんか？

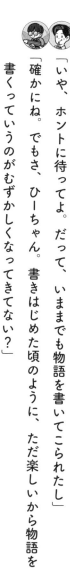

なぜ、そんなことが起きるのかというと、**みなさんが小学生の頃よりも、多くの映画やテレビドラマ、小説などに触れているため、自分が書く物語に対しても求めるレベルが上がるからです。**それで、どうするかというと、凝った物語の設定を考えたり、変わったストーリー展開を考えたりして……なんだか、にっちもさっちもいかなくなってしまう。いわゆるスランプ状態になります。

ですが、スランプになるのは成長の証しです。四つの島を巡ることで、「にっちもさっちも」の部分を解決して、どんどん成長していきましょう。

■物語とは……主人公の変化・成長しようとする姿を描くもの

「悔しいけど、そう言われるとそうなのかも……。だからって、そんな都合よく解決するの？」

「する、する！　まずは、そもそも『物語とは』ってところを整理しておこう」

物語を書くのは、楽しい。だから、そもそも物語ってなんだ？　なんて考えたことはないかもしれません。ですが、ここをわかっておくと、自分がどんなことを書きたいのかイメージしやすくなります。

「物語とは、主人公の変化・成長しようとする姿を描くもの」です！　たったこれだけ。どんな物語でも、描こうとするのは主人公の「変化・成長」です。こう言うと「変化・成長」ってどういうこと？　という疑問がでてきます。合唱コンクールに向けて準備をしているクラスを例に、考えてみましょう。

たとえば、歌が苦手な太郎がクラスメイトの足を引っ張らないために、苦手な歌を克服しようとする姿。

たとえば、合唱コンクールで優勝を目指している学級委員長の花子が、やる気がないクラスメイトの気持ちを盛り上げ、時に言い争いなどしながらも、クラスメイトと力を合わせて優勝しようとする姿。

たとえば、合唱コンクールに向けて盛り上がっていくクラスの雰囲気に戸惑う次郎が、自分らしさを失わずにいようとする姿。

「変化・成長」とは、物語の「はじめ」と「おわり」で、主人公の考え方や気持ち、置かれている状況などが変わることです。「変化・成長」の度合いは、描きたい物語によって異なりますが、**主人公の「変化・成長」しようとする「姿」を描くのが物語です。**

■島を巡りながら、「シンプル一行」をふくらませる

「『変化・成長』かぁ〜確かに！　変化が小さくても、感動しちゃう物語もあるよね」

「そういうこと！　お客さんは、主人公の変化・成長を感じたいからね」

ものすごく極端に言えば、主人公の「変化・成長」さえ描ければ、物語になるということです。しかも物語には、正解も不正解もありません。この自由さ！　物語つくりの魅力です。ですが一方で、自由すぎるあまり、大海原にぽつねんと放りだされる感じもあります。そこで「物語がつくりたいなぁ」と思った時は、まずは「シンプル一行」をつくります。そうすることで、こぎだす道筋が見えてきます。

> **「主人公が△△しようとする姿」**

これだけです。**「シンプル一行」は、みなさんが物語を通して、なにをしようとする主人公の姿を描きたいか、で考えます。**たとえば、昔話『桃太郎』をシンプル一行にすると「主人公

が鬼退治をしようとする姿」になります。考え方になれるために、頭の体操をしてみましょう。

Q1 あなたの好きな物語を「シンプル一行」に当てはめてください。

「えぇ～いきなり言われるとアレだけど……『主人公が一人前の魔法使いになろうとする姿』とか、『主人公が何度もタイムスリップをして、よりよい人生にしようとする姿』、それから『主人公がバスケットボールで日本一になろうとする姿』とか、こんな感じかな」

「そうそう。いい感じ。『シンプル一行』は主人公がなにをしようとするのか、わかればOK」

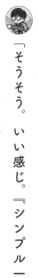

「シンプル一行」自体は、文字通りシンプルに考えてください。漠然としていても、心配ご無用！「シンプル一行」ができれば、アイデアはどんどんふくらみます。せっかく考えた「シンプル一行」です。忘れないように「ミソ帳」に書いておきましょう！

■「マジカル・ミソ帳ツアー」が巡る四つの島をご紹介

「ちょっ、ちょっと待って！『シンプル一行』はわかったけど、アイデアはどうやってふくらむわけ？」

「あら？ ひーちゃん、知りたいの？ それこそ『マジカル・ミソ帳ツアー』に参加しなきゃ！ 四つの島を巡ることで、どんどんアイデアが湧いてくるからね！」

みなさん、「シンプル一行」は考えましたか？ みなさんが考えた「シンプル一行」は、言うなれば「マジカル・ミソ帳ツアー」のチケットです。そのチケットを握りしめて島々を巡ることで、考えるべきことが整理されてアイデアがどんどん湧いてきます。スタンプラリーのように、あなたの物語つくりを進めましょう！ 四つの島を紹介します。

登場人物を生みだす島

一つ目の島は、「登場人物を生みだす島」。この島では、物語つくりに欠かせない登場人物を生みだす方法をお伝えします。あなたの腕を使い、まだ誰も会ったことのない魅力的な登場人物を、一章で生みだします。

登場人物を動かす島

次の島は「登場人物を動かす島」。この島では、みなさんが生みだした登場人物を動かす方法をお伝えします。せっかく生みだした登場人物も、動いてもらわないことには、どんな人物なのか伝わりません。登場人物「らしい」言動を描く方法を、二章で身につけちゃいましょう。登場人物の言動を描くことこそ、物語つくりの根っこです！

登場人物を投入する島

三つ目は「登場人物を投入する島」。この島では、主人公が活躍する物語の世界を設定する方法をお伝えします。アイデアが浮かばない、アイデアがまとまらないという問題は、三章で解決しちゃいましょう。

登場人物を変化させる島

最後の島は、「登場人物を変化させる島」。物語は、主人公の変化・成長する姿を描くものです。この島では、主人公が変化・成長できるような道のりのつくり方をお伝えします。キーワードは主人公を「こまらせる」こと。物語の構成について、四章でマスターしましょう。

2

物語つくりに必要な「作家の頭」「作家の腕」「作家の眼」

■「作家の頭」から、おもしろい物語が生まれる

「ん〜島巡りツアーは楽しそうだけど、やっぱり待って！　四つの島を巡っても、知識みたいなのが増えるだけじゃないの？」

「おっと。ひーちゃん、いい質問ですね！　ここは一つ、ツアーに参加することでひーちゃんに起きる、三つの変化について話しておこうかな」

極端な比較ですが、プロの作家の人たちと、みなさんとの間に決定的な差があるとすれば、それは、物語をつくる表現技術の差です。なぜなら、どんなにおもしろそうなアイデアがあっても、それを物語にする技術がなければ、なにも生まれないからです。そこで、「マジカル・ミソ帳ツアー」では、まずみなさんの頭を「作家の頭」につくり替えます。**「作家の頭」とい**

うのは、物語を「どうつくればいいのか」という表現技術を理解し、「どんな物語を描きたいか」を考える頭のことです。

どうやって「作家の頭」につくり替えるかというと、みなさんの物語つくりに対する思い込みを、島を巡るごとにきれいさっぱり洗濯します。その上で、シナリオ・センター式の表現技術を伝えていきます。これで「作家の頭」の完成です。

■「作家の腕」が動きだす

「『作家の頭』か。格好いいけど、プロのレベルってこと？　無理だよ」

「え!?　無理じゃないよ。だってどんなプロも、はじめはみんな初心者だもん。ひーちゃんと一緒。そこからみんな『作家の頭』になっていったんだよ」

みなさんの頭は、シナリオ・センター式の表現技術を知ることで、どんどん「作家の頭」に近づきます。ですが、「知る」だけでは物語はつくれません。「作家の頭」で理解した物語のつくり方が、みなさんの腕に伝わることで、みなさんの腕は「作家の腕」に変わります。

「作家の腕」とは、あなたが思い描いたおもしろそうなアイデアを、おもしろい物語として書ききる腕のことです。「作家の腕」は、勝手になるものでも、生まれた時から備わっているものでもありません。**「作家の腕」は、「作家の頭」を使いながら、物語を書きつづけることで、鍛えて「なる」ものです。**このツアーの最終目標は、参加するみなさんの腕を「作家の腕」にすることです。腕を磨いていきましょう！

■「作家の眼」をめざめさせる

「物語って、センスとか感性でつくるイメージだけど、スポーツと同じで腕を鍛えるんだね……となると、三つ目ってなに？」

「ひーちゃん、三つ目がとっても大切なの。ひーちゃんにしか描けない物語になるかどうかは、ココだから！」

最後は「作家の眼」です。**ふだんの生活のなかで、何気なく見たり、感じたりしていることを、自分なりの視点でとらえるのが「作家の眼」です。**「作家の眼」は、物語をつくる自分自身、はたまた友だちやクラスメイト、親や兄弟姉妹、先生などの周りの人たち、そして、それぞれが属している地域や社会、果ては世界にまで広がります。物語に「独自の切り口」、「斬新なアイデア」が生まれるのは、「作家の眼」によって、あなた独自の視点が加わるからです。

作家の頭

「おもしろそう！」を発想する

物語のつくり方を理解し、物語のアイデアを生みだす考えや思考、発想。

作家の眼

「おもしろそう！」を見つける

自分、友だち、家族、地域や社会などのなかで、何気なく見たり、感じたりしていることを、自分なりの視点でとらえること。物語に独自の視点が加わる。

作家の腕

「おもしろい！」を描く

思いついたおもしろそうなアイデアを、おもしろい物語として描ききる能力。

そう言っても『作家の眼』ってそんなに大切？」と思うかもしれません。実験をしてみましょう。

Q1 あなたがいつも使っている歯ブラシを、思い浮かべてください。持ち手の色、形、ブラシ部分の色や毛並みはどうなっていますか？

「え？　歯ブラシ？　そんなの簡単。持ち手は薄緑で、形は……あれ？　えっとブラシのところは白に青いラインがあって、青のところ……いや、青じゃないか？」

「毎日目にしているのに、意外に思い浮かばないでしょ？　これ、ほとんどの人がそうなの」

私たちの見る力は、悲しいけれどこの程度なのです。これが歯ブラシでも、お箸でも、いま握っているペンでも同じです。見ているようで、見ていないのです。では、その歯ブラシの絵を描くつもりで、洗面所に行って歯ブラシを見てください。さっきまで気づかなかった部分が見えてきたのではないでしょうか。それは、見る意識が変わったからです。

物語をつくるために必要な「作家の眼」もこれと同じです。同じ日常も「作家の眼」で見るかどうかで、見え方はガラッと変わります。**「作家の眼」は、「作家の頭」が動きだすとめざめ**

ます。そして、「作家の眼」がさえてくると、「作家の頭」にアイデアのきっかけをどんどん送り込んでくれます。

「マジカル・ミソ帳ツアー」に参加すると起きる変化について、左の図に整理しておきます。

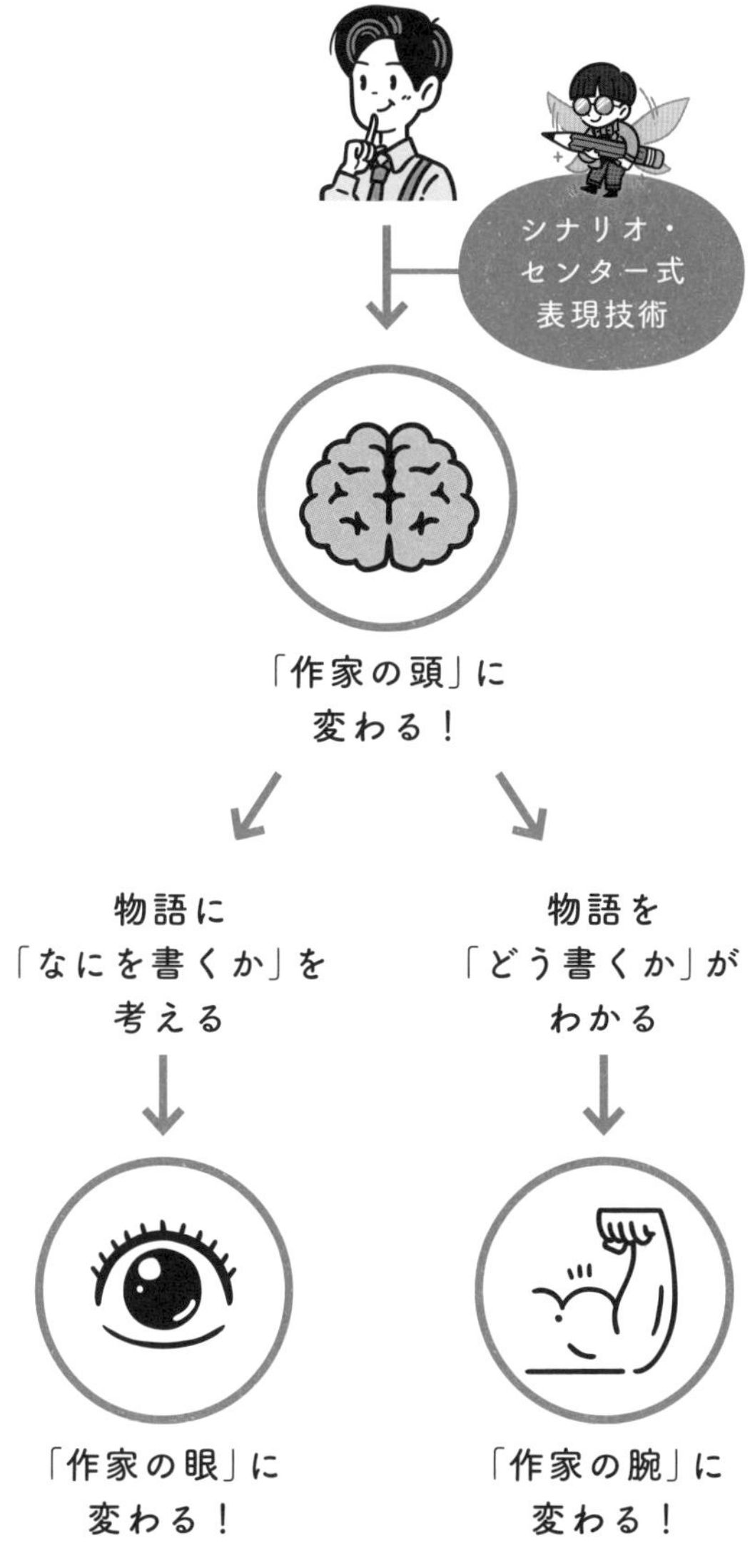

みなさんの頭↓シナリオ・センター式の表現技術を知る↓「作家の頭」に変わる
「作家の頭」になる↓物語を「どう書くか」がわかる↓「作家の腕」に変わる
「作家の頭」になる↓物語に「なにを書くか」を考える↓「作家の眼」に変わる

「マジカル・ミソ帳ツアー」に参加して、「作家の頭」になれば、オセロがひっくり返るようにみなさんの腕と眼が「作家の腕」「作家の眼」へと変化していき、物語つくりが楽しくなります。

みなさんには、たくさんの可能性があります。いまからプロの作家になることばかりを考える必要はありません。プロになる、ならないに関係なく、創作をするあなた自身にワクワクしちゃう、それが「マジカル・ミソ帳ツアー」の醍醐味《だいごみ》です。**ツアーを通して「作家の頭」「作家の腕」「作家の眼」を磨くことで、みなさん自身の世界をどんどん広げてください。**

3

「マジカル・ミソ帳ツアー」参加のしおり

「悔しいけど『マジカル・ミソ帳ツアー』に行きたいかも。でもさ、そもそも『ミソ帳』ってなんなの？　ついでに妖精も……」

「妖精はついでかい！　まぁいいけどね。まずは『ミソ帳』について知ってもらわないとね」

■「ミソ帳」は、みなさんの創作ノート

「マジカル・ミソ帳ツアー」へ出発すると、みなさんから物語のアイデアがあふれでてきます。

「ミソ帳」は、そんなみなさんからあふれでてきた物語のアイデアを、書きとめておくための創作ノートです。

アイデアというのは、物語にすぐに使えるものから、いつか使えるかもしれないもの、組み

合わせによっては使えるかもしれないもの、とさまざまです。なので「ミソ帳」に書きとめておきます。「ネタ帳」ではなく「ミソ帳」と呼ぶのは、あなたのアイデアをお味噌のように発酵させたいからです。

「ミソ帳」は、脚本家や小説家を養成する「シナリオ・センター」という学校をつくった新井一が考えたものです。新井一が築いたシナリオ・センター式の表現技術である「シナリオの基礎技術」と「ミソ帳」は、いまもシナリオ・センターの講師に受け継がれています。「マジカル・ミソ帳ツアー」のガイド役の妖精は、そんな新井一が解き放っているとかいないとか。そうそう、かずちゃん以外にも、この本にまぎれ込んでいるかもしれません。

「マジカル・ミソ帳ツアー」参加のしおり

■忘れてはいけない持ち物

①「物語をつくりたい」という気持ち

②シンプル一行「主人公が△△しようとする姿」

※出発の時点では、だいたいこんな感じ、くらいで大丈夫！

③ミソ帳＝アイデアが書きとめられるノート

・罫線《けいせん》

方眼罫がミソ帳にオススメ。アイデアや図を自由に書けるため
（とはいえ、決まりはありません）

・サイズ

１００％お好みです。表紙のデザインを含め、持っていてワクワクするノートを選んでください

B5サイズ

使いなれたノートがいい方は、B5サイズ。学校などで使われる大きさです。

A4サイズ

ちょっと大きめがいいという方は、A4サイズ。一ページにたくさん書き込めます。

B6サイズ

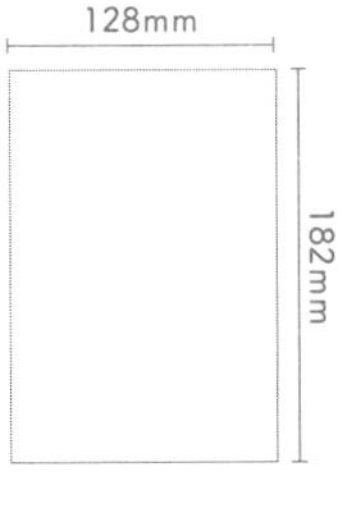

いつでもメモをしたい方には、B6サイズ。単行本と同じサイズなので、持ち運びやすいというメリットがあります。

A5サイズ

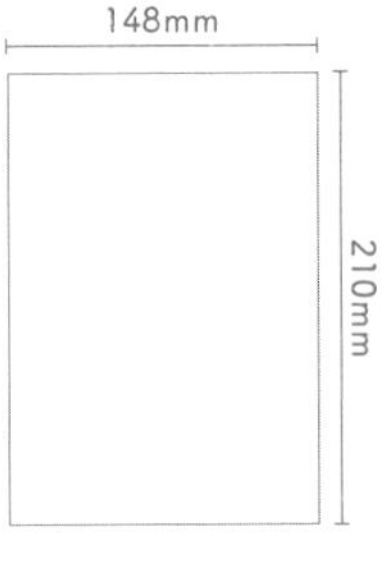

あまり大きいのは、嫌だなという方は、A5サイズ。見開きにするとA4サイズになります。

■ミソ帳の書き方　※やりやすいまとめ方でＯＫ！　おすすめは③

①ノートの左側に、「作家の腕」に必要な表現技術をまとめる
その右側に「作家の頭」「作家の眼」から生まれたアイデアを書く
②ノートの上側に、「作家の腕」に必要な表現技術をまとめる
その下側に「作家の頭」「作家の眼」から生まれたアイデアを書く
③「作家の腕」に必要な表現技術を一冊のノートにまとめる
「作家の頭」「作家の眼」から生まれたアイデアを別のノートに書く

■参加の心がまえ

その一、アイデアはどんどんだすべし。創作には、正解も不正解もない。

遠慮するべからず！

その二、あなたの頭で考えるべし。グループ行動の時に、うしろの方でダラダラしているような感じで参加するべからず！

その三、「作家の腕」は物語を書いて磨くべし。物語つくりの知識だけで満足するべからず！

エピソード 「主人公が傑作《けっさく》の物語を書こうとする姿」!?

■「マジカル・ミソ帳ツアー」は夢なのか、現実なのか

おれは寒さで目をさました。どうやら寝てしまったらしい。ということは、夢か……そりゃ、ノートからおっさんがでてくるなんて、現実には起きやしないよな。ちょっと、いや、だいぶ嫌だし。

気づけば、グラウンドの声も聞こえない。図書室に入ってくる夕陽もだいぶ低くなっている。そろそろ下校の時間か。

おれは、司書じいさんに渡されたノートに目をやる。やっぱり、返却して帰ろう。ちゃんと貸出になっているかわからないし。そう思いながら、何気なくミソ帳をパラパラめくって、思わず息をのむ。

「主人公が傑作の物語を書こうとする姿」

な、なんだ、これ？　なんでおれの字が？　全然、覚えてない。しかも図書室の貸出用のに書いちゃってるし！

おれは慌てて、受付に向かう。けど、受付には誰もいない。奥に人のいる気配もない。「すんませ〜ん」と言っても、誰もでてこない。司書じいさんよ、どこ行った？

もう一度声を掛けようとして、下校を促す放送が流れる。図書室を見回しても、司書さんたちの姿はない。メモを残して置いておくか？　いや、そういうわけにもいかない。おれはもう一度、「すんませ〜ん」と言ってみる。やっぱり誰もでてこない。仕方なくおれは、「明日持ってきま〜す」と小さい声で言いながら、ミソ帳をカバンに入れる。明日、謝ろう。

図書室からでると、陽は完全に暮れ、あつぼったい雲が空に広がっていた。グラウンドのしめった空気のなかに、運動部に踏みつけられた銀杏《ぎんなん》の香りが漂っている。

ミソ帳memo

「主人公が△△しようとする姿」

物語をつくりたいと思ったら、ぼんやりとでもいいから、「シンプル一行」を考えてみてね！

第1章

ストーリーの
落とし穴からぬけだせ！

登場人物の
つくり方

エピソード　小早川光の場合

■ため息はカレー風味

夕食のカレーの風味が、口のなかに残っている。カレーって、食べる前も、食べている時も、食べたあとも、大した存在感だよなと、おれは取りとめもないことを考える。

無造作に机に置いたカバンから教科書を取りだすと、角の曲がった数学の小テストがでてくる。「小早川、計算式もちゃんと書け」と、リザブーこと村田理三郎大先生の字で書いてある。

おれは、ぼーっと小テストを眺める。

「書け、かぁ……」

今日の大田垣さやかの姿、修二の意味深な言葉の数々、図書室で見た不思議な夢……。

「あ、そうだ！」

夕食のカレーに気を取られて、すっかり忘れていた。図書室で不思議な司書じいさんから渡されたノートに、なんか書いちゃったんだ。

おれは、国語と数学の教科書の間に挟まれた「ミソ帳」と書かれたノートを取りだして、ページを開いてみる。そこにはやっぱりおれの字で「主人公が傑作の物語を書こうとする姿」と書いてある。

「『マジカル・ミソ帳ツアー』とか、言ってたっけ？」

あのちっさいおっさんの言ってたツアーが本当にあったら……おれにも傑作が書けるのだろうか。大田垣さやかみたいに、人前で作品を発表したりして……それこそ、夢みたいな話だ。

「ないよなぁ〜」

思わずついたため息は、少しカレーくさい。

■ストーリーが書けることが、問題？

「カレーくさいなぁ〜いや、しんきくさいなぁ〜」

ちっさいおっさんが、ミソ帳の上に仁王立ちしている。

「え？」

おれは目をこする。

「さっき、夢にでてきたちっさいおっさん!?」

「ひーちゃん、君ね。ミソ帳のことも、かずちゃんの名前もすっかり忘れてたでしょ」

「っていうか、夢じゃなかったの？」

「夢じゃないし、妖精だし。でも、現実だし！」

ちっさいおっさんはそう言って、ふんっと鼻を鳴らすと、人差し指をくいくいっとさせる。

「ほらっ引き出しのノート、見せて。『天才小早川光のけっさく集』だっけ？」

「なんで知ってんの？」

「あのね、こちとら妖精ですよ。それくらい夕食後でも、朝飯前ですからぁ」

ちっさいおっさんは、一人で笑いをこらえている。

おれは渋々、引き出しの奥からノートを取りだす。おれが、小学校から書きためてきた物語集。十三冊目も終わりに近い。小学生の時におれが話を考えて、修二が絵を描いたマンガもある。修二の苗字「真嶋」から取ったあだ名「マーシー」と、おれの「光」で「マーシーひかる」という共同ペンネーム。いまでもなかなかイカしていると思う。

ちっさいおっさんに言われるまま、物語集をミソ帳の前に置く。ちっさいおっさんは、「うん、うん」とうなずきながら、ミソ帳の上を何度も行ったり来たりする。

「ひーちゃん。率直に言おう！」

おれは思わず、姿勢を正してしまう。

「『マーシーひかる』、最高じゃ〜ん！　特にさぁ、この『さっちゃん、ちーちゃんの米騒動』。めちゃくちゃおもしろいじゃん！」

「え!?　そ、そう？」

「うん。おもしろいよ！　あぁ〜でもねぇ〜『腕輪物語』はなぁ〜ちょっとねぇ〜」

「『ちょっと』なんだよ」

「う〜ん」

ちっさいおっさんが、チラッとおれの顔をのぞき見る。

「ひーちゃんも気づいてるんじゃない？」

そう言って、ちっさいおっさんは、指で拳銃の形をつくって「ズキューン！」とやってくる。

ニコニコした顔に、無性にイラッとしてしまう。

「ストーリーが書けちゃうことが、ひーちゃんを苦しめているかもね」

「はっ？　それのなにがいけないの!?」

思わず、ちっさいおっさんに顔を近づける。すると、おれの顔の前で「丁か半か！」と言わんばかりの勢いで、ちっさいおっさんがバンッとミソ帳を叩く。

「『**ドラマとは、人間を描くこと**』！　by 新井一」

ちっさいおっさんが、真剣な顔でおれを見る。

『ドラマとは、人間を描くこと』？　一体どういうことだよ」

「それは『マジカル・ミソ帳ツアー』に行けばわかること」

ちっさいおっさんが三三七拍子のリズムで、

「め、く、れ、め、く、れ。ミソ帳め、く、れ！」と、ささやきかける。

手のひらがじんわり汗ばむ。ドクドクドクドクドクッ、ドクドクドクドクッ……心臓の音が耳の奥まで響く。これをめくると「マジカル・ミソ帳ツアー」がはじまるのか!?　おれは、自分の手元を見つめる。この腕が、変わるのか？　ちっさいおっさんの三三七拍子のリズムが速くなる。つられて心臓の音も速くなる。おれは鼻から大きく息を吸って、えいやっとミソ帳をめくる。

1 物語のど真ん中には、登場人物

■人間を描くことって、どういうこと？

「ストーリーを書けることが、おれを苦しめているってどういうこと？」

「さぁいよいよ『マジカル・ミソ帳ツアー』のはじまりだ！　『登場人物を生みだす島』へ上陸するよ！　まずは物語つくりへの思い込みから洗いはじめようかしら」

「マジカル・ミソ帳ツアー」では、まずはみなさんの頭を洗濯します、とお伝えしました。なぜなら、**みなさんの頭のなかには、物語つくりにまつわる思い込みがあるからです。**その一つが、物語をつくる時に「この物語は、ああなって、こうなって」というストーリーから考えてしまうことです。ですが、ストーリーから考えはじめると、こんなことが起きたりします。

・なんだか、ありきたりなストーリーだと思えてくる
・物語は進んでいるのに、なんとなくパッとしない
・そもそもストーリーのアイデアが浮かばない

みなさんにも思い当たる節があるかもしれませんが、こうなると物語つくりが楽しくなくなります。**この問題を解決してくれるのが、登場人物です。**「マジカル・ミソ帳ツアー」で巡る最初の島が「登場人物を生みだす島」なのもそのためです。この島では、主人公のつくり方を軸に、登場人物たちをどうやって生みだしていけばいいのかをお伝えします。シンプル一行の「主人公が」の部分に、あなたのアイデアが加わりますよ！

■「物語」と「ストーリー」は別のもの

「登場人物がストーリーの行き詰まりを解決するってどういうこと？」
「そう思うよね。ストーリー展開を考えるのって楽しいんだけど、行き詰まりがち。そこから救ってくれるのが、主人公を中心にした登場人物たちなんだよ！」

物語＝ストーリーと考えがちですが、「物語」と「ストーリー」は別のものです。物語とは、主人公の変化・成長しようとする姿を描くことでした。**ストーリーとは、その物語のなかで起きる出来事の大まかな流れのことです。**そのため、ストーリーにはいくつかの「パターン」があります。新井一は、ストーリーは二十一パターンに分類できるといいますし、映画の本場ハリウッドでは、ストーリーには黄金の十パターンがあるといわれます。

たとえば、仲間と力を合わせて敵を倒そうとするというストーリーは、昔話『桃太郎』をはじめ、『ロード・オブ・ザ・リング』『ハリー・ポッター』『ミッション：インポッシブル』などなど、多くの作品で使われています。他にも、恵まれない境遇の主人公が成功を収めようとする『シンデレラ』のような「サクセスストーリー」、恋する二人が結ばれようとする『ロミオとジュリエット』のような「ラブストーリー」などがあります。

どのストーリーのパターンがいいとか悪いとかではなく、「ストーリーはパターン」だということです。そのためストーリーから考えると、パターン化された「ストーリーの落とし穴」にハマりがちです。そして思うのです。「なんだか、ありきたりなストーリーだ」と。

ですが、ここでちょっと考えてみてください。**ストーリーはパターンだというのに、この世界にはたくさんの素敵な物語があります！**不思議ですよね。なぜかというと、物語の登場人物たちが、それぞれの物語で異なる「キャラクター」を持っているから。「ストーリーの落とし穴」からあなたを救ってくれるのは、主人公を中心にした登場人物なのです！

作家の腕を使おう

ストーリーとは、物語の大まかな流れ

ストーリーには、パターンがある

「ストーリーの落とし穴」から、登場人物が救ってくれる

作家の眼を使おう

ストーリーはパターンなのに、物語が無限にあるのはなぜなのか、日頃からいろいろな作品に作家の眼を向けよう

ストーリーと登場人物の関係性

「やばい！　落とし穴にハマってたかも……でも、ストーリーは同じなのに、物語が変わるってどういうこと？」

「不思議だよね。登場人物によって、なにが変わるのか実験してみよう！」

「ストーリーの落とし穴」から登場人物が救ってくれることを、昔話『桃太郎』で考えてみましょう。昔話『桃太郎』のストーリーは変えません。桃太郎のキャラクターだけ変えて、桃太郎がおじいさんに鬼退治を頼まれるシーンがどうなるか、実験します。

みなさんも、「作家の頭」を使って、アイデアをドンドンだしてみてください。できたアイデアは「ミソ帳」に書きとめておきましょう。

〜『桃太郎』のストーリー〜　桃太郎、桃から誕生。おじいさんとおばあさんに育てられる。ある日、桃太郎の住む村が鬼たちに襲われる。桃太郎は、鬼退治に行くことを決心する。サル、イヌ、キジが仲間になる。鬼ヶ島へ向かう。桃太郎たちは、鬼と戦う。果たして、桃太郎は見事、鬼退治ができるのか……。

Q1　「桃太郎お願いだ、鬼退治に行ってくれ」とおじいさんから、桃太郎が頼まれます。三タイプそれぞれのリアクションを考えてみてください。

一人目　勇敢な桃太郎
二人目　へそまがりな桃太郎
三人目　気が弱い桃太郎

「勇敢な桃太郎かぁ～そうだなぁ。『任せてよ！　おじいさん。二度と悪さしないようにこらしめてきます！』とか、かな。へそまがりな桃太郎だったら『えぇ～なんでオレが行かなきゃいけないんですかぁ～そもそも事前に対策しなかった大人のせいですよね？』とか。んで、気が弱い桃太郎なら、おじいさんにも強く言えないだろうから『えぇ～ぼくですか～はぁ～ぼくが鬼退治ですかぁ～』とか、ぶつぶつ言ってそう」

「おっ、さすがひーちゃん！　登場人物のキャラクターによって言うことが全然違う」

みなさんも「作家の頭」を使って考えてみましたか？　「勇敢な桃太郎」バージョン、「へそまがりな桃太郎」バージョン、「気が弱い桃太郎」バージョンと、おじいさんへのリアクションがそれぞれ異なったはずです。『桃太郎』のストーリーは変わらないので、ど

の桃太郎でも最終的には鬼退治に行くことになります。ですが、**桃太郎のキャラクターが変わったことで、「シーン」での桃太郎のセリフや行動が変わりました。物語を見ている人にとっては、もはや同じ『桃太郎』ではありません。**

実はストーリーというのは、たくさんの「シーン」が積み重なってできあがっています。そのため**「シーン」が変われば、同じパターンのストーリーでも「物語」はまったく違うものになります。そしてシーンを変えるのは、そう！登場人物たちなのです。**

作家の腕を使おう

登場人物のキャラクターによって、セリフや行動が変わる

登場人物のキャラクターによって、物語の「シーン」が変わる

ストーリーは、シーンの積み重ねでできている

作家の眼を使おう

日頃から、どんな人がどんなことを言ったり、どんなことをするのかにも作家の眼を向けよう

■想像力をフル回転させて、登場人物をつくろう

「登場人物、すげぇ〜！　いや、まずいな。いままでテキトーに考えてたかも」

「ひーちゃん、その気づきが大切なのよ！　そしたら次は、登場人物を生みだす時の頭の使い方をやってみようか」

みなさんも、ひーちゃんと一緒に登場人物つくりに挑戦してみましょう。とはいえ、闇雲《やみくも》に考えてもうまくつくれないのが、登場人物です。登場人物つくりのむずかしさは、「会ったことも見たこともない人物をゼロからつくる」ことにあります。言うなれば、「のっぺらぼう」の状態で、みなさんの目の前に立っています。そんな「のっぺらぼう」を登場人物にしなければいけません。まず使うべきは、そうです。「作家の頭」です。みなさんの想像力をフル回転させていきましょう。

Q1 目の前に「のっぺらぼう」がいるとします。
以下の問いをもとに、想像力を使って「のっぺらぼう」に、姿形を与えてください。
注意点が、二つ。アイデアをだす時は「こんなの

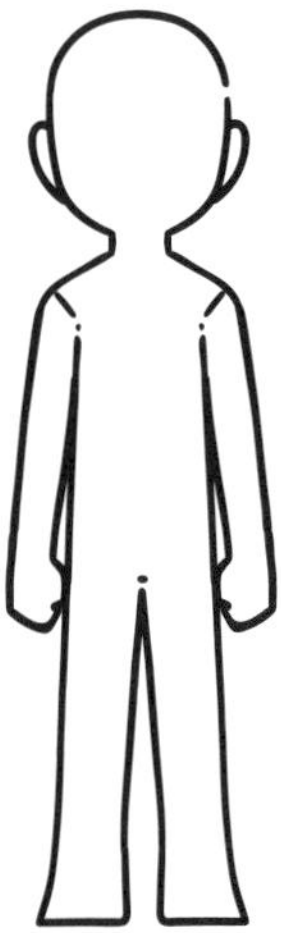

変かな？」と考えずにやりましょう。次に、いきなり全ての問いに答えなくても大丈夫。答えていない部分は、他の問いに答えているうちに、思いついたら書き足してOK！　テストではないので、楽しく取り組んでください。

・身長は高い？　低い？　平均的？
・体型は痩《や》せ？　ぽっちゃり？　平均的？
・髪型はショート？　ミディアム？　ロング？
・髪は何色？
・何歳くらい？
・目は大きい？　小さい？　細い？　つぶら？　一重？　二重？
・鼻は高い？　低い？　大きい？　小さい？
・口は大きい？　小さい？
・メガネはかけている？　かけていない？　コンタクト？
・服装は派手？　地味？　おしゃれ？　ダサい？　無頓着？
・性別もしくは性自認は？
・その他の特徴は？

Q2 「のっぺらぼう」のイメージが湧いたら、そんな見た目の人の内面を考えてみましょう。

- 「こんな時、こうしがち」というようなクセは？　口グセは？
- 普段の話し方は、早口？　ゆっくり？　落ち着いている？　自信無げ？
- 言葉使いは丁寧？　悪い？　一般的？
- 趣味は？
- 得意なものは？　苦手なものは？
- 境遇は恵まれている？　恵まれていない？
- 性格は明るい？　暗い？　優しい？　真面目？　責任感がある？
- 名前は？

「のっぺらぼう」から登場人物へと、具体的なイメージが湧いてきたことでしょう。**具体的というのは、言い換えれば「目に浮かぶように」ともいえます。**「いい人そう」とか「ずるそう」とか、目に見えないことも、表情や行動をイメージすることで目に浮かんできます。

「こんな登場人物、実際にいそうだな」と思えるくらいイメージが湧くということは、そこに登場人物らしさが生まれたということです。これを「キャラクター」と呼びます。**登場人物に「キャラクター」が宿ると、その登場人物ならではのセリフや行動のイメージが湧きます。**

たとえば、道をたずねられた時。「のっぺらぼう」状態なら、なんとなく、差し障りのない行動をイメージするか、変にひねって、突飛な行動をイメージしたりします。では「キャラクター」がある登場人物ならどうでしょうか？　無理やりひねりだそうとしなくても、その人物ならではの言動が思い浮かびます。

作家の腕を使おう

目に浮かぶまで、登場人物をイメージする

登場人物らしさを、「キャラクター」と呼ぶ

登場人物に「キャラクター」があれば、アイデアが湧いてくる

作家の眼を使おう

日頃から、自分が好きな作品の登場人物の「キャラクター」に注目して見てみよう。登場人物ならではの行動に気づくはず

2

登場人物を魅力的にする

■頭の使い方がわかったら、登場人物のつくり方へ

「もしかしたら、いままで登場人物ってそこまで考えてなかったかも……」

「そう思えるのは、だんだん『作家の頭』になってきた証拠だよ！　頭の使い方がわかってきたようだから、『登場人物のつくり方』へと話を進めようかね」

登場人物について、目に浮かぶように考えていなかったというのは、ひーちゃんだけではありません。シナリオ・センターが行っている「キッズシナリオ」という物語つくりのプログラムに参加していた十代のキッズたちも同じでした。どうしても物語のストーリーや物語の設定に気をとられてしまったり、登場人物を考えていても、あまり物語に関係ない部分ばかり考えてしまったり……。

ここからは、みなさんの創作へのエネルギーを正しく登場人物つくりに注入できるように、お話ししていきます。ミソ帳に書いた「シンプル一行」を思いだしてください。

「主人公が△△しようとする姿」

まずは、これから書こうとする物語の「主人公」のキャラクターを、目に浮かぶようにつくっていきましょう！

■魅力的な主人公をつくりだす

「うん！　ちゃんと登場人物をつくれるようになりたい！　次、はやく行こう!!」

「いいね、そう来なくっちゃ！　キーワードは、『二面性』だよ」

物語の登場人物は、大きく主人公、脇役《わきやく》、端役《はやく》、セリフのないエキストラ（モブ役）に分かれます。ここでは主人公をもとに、登場人物のつくり方を一緒に考えていきましょう。

物語のなかでの主人公の役割とは、物語のど真ん中で物語全体を引っ張っていくことです。物語全体を引っ張るためには、それだけの魅力が必要になります。もしも、主人公に魅力がなければ、映画であれば観るのをやめてしまいますし、小説やマンガだったら読むのをやめてしまいます。

主人公は物語を引っ張ると同時に、観客や読者といったお客さんの気持ちを物語世界へ引き込む役割もあります。みなさんの物語にも、魅力的な主人公が必要です。**魅力的というのは、「なんだか気になってしまう」「なぜだか、目が離せない」という意味です。「いい人」という意味ではありません。**主人公が悪いヤツ、クセの強いヤツという設定でも、「なんだか気になってしまう」のであれば、それは魅力的といえます。

魅力的な主人公には、二つの条件があります。なんだと思いますか？　一緒に考えてみましょう。

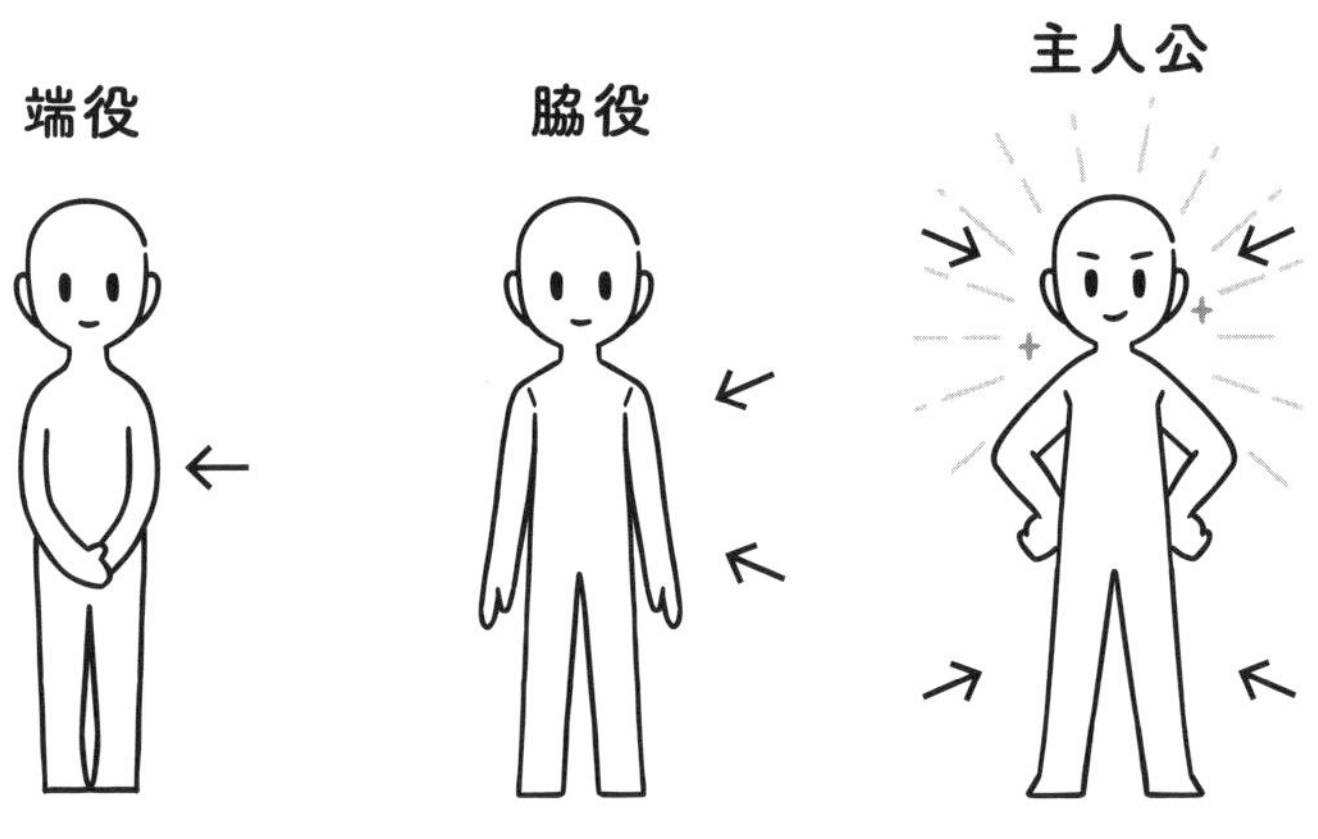

さまざまな姿を描く
主人公と関わる姿だけを描く
主人公と関わる“瞬間”の姿だけを描く

Q1 まずは、この人は魅力的だと思う友だちや先生、有名人でもいいので、一人考えてみてください。その人のなにが魅力的なのでしょうか？

「う〜ん。改めて言われるとむずかしいけど『自分の気持ちを誤魔化さずに言葉にできる』とか、『なんでもすぐやってみる』とか『人のことに親身になれる』とか、そういうとこかなぁ」

「いいね！『自分もそうありたいけど、なかなかむずかしい』と思うようなことを、さらっとやれる人って、魅力的に感じるよね」

魅力的な主人公の条件の一つ目は、「憧れ性」です。誰もが、すごいと思うような憧れる面をつくります。

・誰にでも優しく接することができる
・自分の考えをはっきり言うことができる
・失敗を恐れずなんでも挑戦することができる
・すぐに行動できる
・いろいろなことに好奇心を持つことができる

などなど、「憧れ性」の要素をいろいろと考えてみてください。

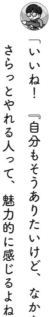

「憧れ性」を考える時のポイントです。**憧れ性と「特技」を分けて考えてください。**憧れ性はその人の内面的な性質で考えます。「特技」を考える時は「すごい必殺技を持っている」など技術的なことや「走るのが速い」など身体的な性質で考えます。

作家の腕を使おう

主人公が、物語を引っ張る

主人公が、お客さんの気持ちを物語世界へ引き込む

魅力的な主人公には、「憧れ性」が必要

作家の眼を使おう

日頃から、どんな人間的な要素が憧れ性になるのか考えておこう。でてきたアイデアは、必ずミソ帳に書いておこう

■主人公とお客さんをつなぐ「共通性」

「『憧れ性』ね。わかる気がする。でも、もう一つはなんなの？　憧れるような主人公になれば、魅力的だと思うけど……」

「本当にそうかな？　自分にはできないことができちゃう人って、すごすぎて距離を感じることはない？　そこで、二つ目の要素『共通性』が必要になるんだよね」

完璧な人、自分より明らかにすごい人は、ちょっとだけ近寄りがたいものです。そのため、**憧れ性に加えて、自分と同じだと思えるような「共通性」が必要です。**共通性があることで、主人公に親近感が湧きます。たとえば、人気の歌手グループ。歌っている時はかっこいいのに、トークになるとメンバー同士でじゃれ合っていたり、失敗談なんかを話したりします。そうすると、「あ、自分と同じなんだ」と親近感が湧きます。

・誰にでもいい顔をしてしまいがち
・周りの人と意見がぶつかりがち
・人に頼られがち
・行き当たりばったりになりがち
・自分の気持ちを押し殺しがち　などなど

みなさんにも、そういう面が少なからずあるはずです。

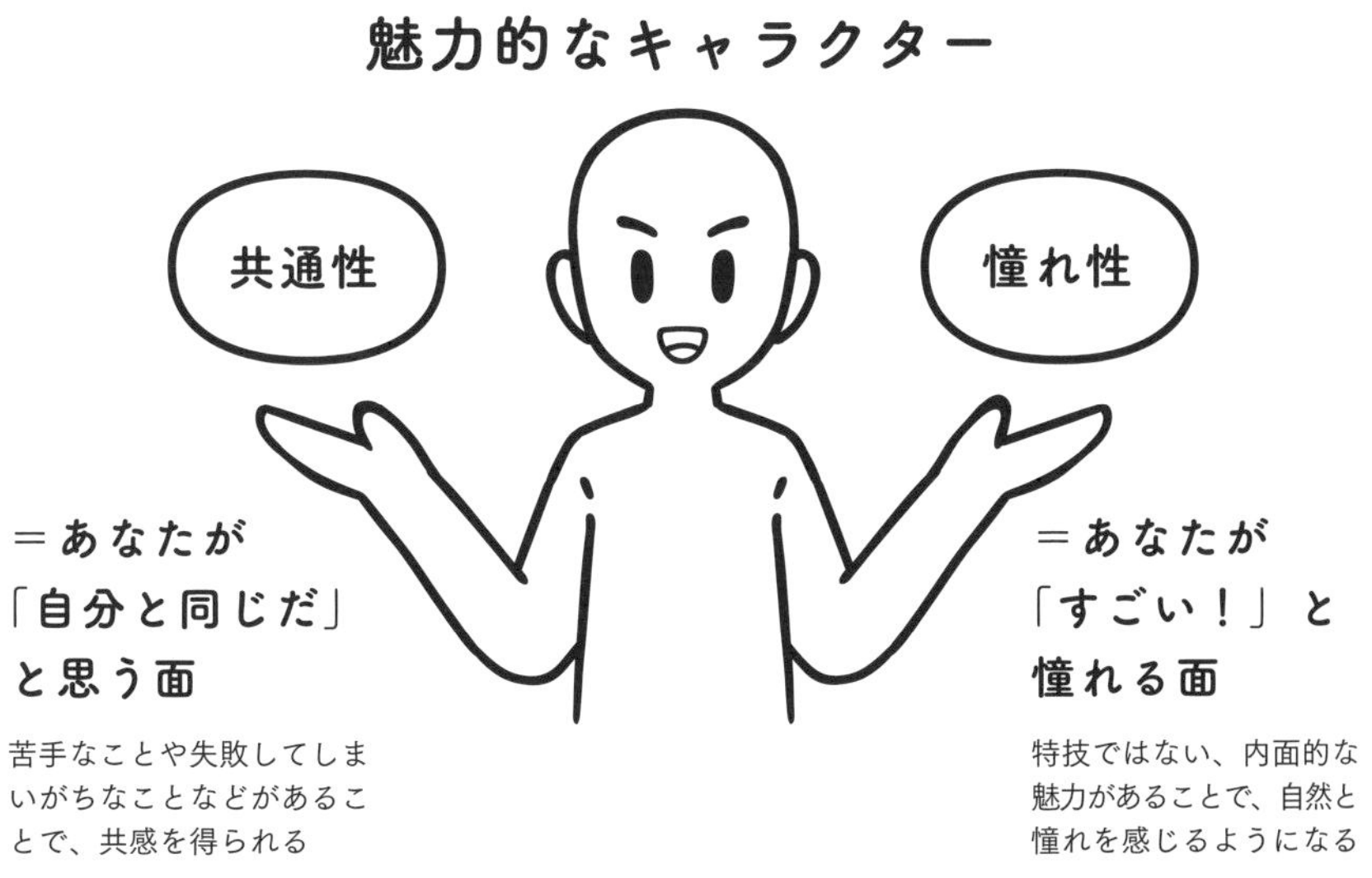
魅力的なキャラクター
共通性
憧れ性
＝あなたが
「自分と同じだ」
と思う面
苦手なことや失敗してしまいがちなことなどがあることで、共感を得られる
＝あなたが
「すごい！」と
憧れる面
特技ではない、内面的な魅力があることで、自然と憧れを感じるようになる

「共通性」とは、主人公がやってしまいがちなことや、苦手としていることなどを主人公に持たせることで、人物を立体的に描く表現技術です。**主人公や主要な脇役には「憧れ性」と「共通性」という二面性を持たせてください。**

作家の腕を使おう

主人公には、「共通性」も必要

「共通性」が主人公とお客さんを結びつける

主人公には、憧れ性と共通性という「二面性」を持たせる

作家の眼を使おう

仲がいい友だちと、初めて会った時のことを思いだしてみよう。なんらかの共通性があったはず。日頃から、どんなことが共通性になるのか、考えておこう

■二面性を考える時のポイント

「二面性なんて、考えたことなかった。そういえば、自分の好きなアニメの登場人物って、みんな二面性があるかも。それって、なんか考えるコツみたいなのあるの？」

「考えるコツね、ちゃんとあるよ！ それは、登場人物の性格と関連づけて考えるってこと」

二面性を考える時のポイントは、登場人物の性格と合わせて考えることです。たとえば、「優しい性格」であれば、優しい性格の人だったらどんな憧れ性がありそうか、どんな共通性がありそうかを考えます。具体的に言うと、「優しい性格だから、憧れ性は人のことに親身になれる。なら、共通性は、お節介になりがち」。この時に、性格を少し強調すると、より考えやすくなります。「優しい性格」よりも「優しすぎる性格」のような感じです。

憧れ性と共通性は、どちらから先に考えても構いません。

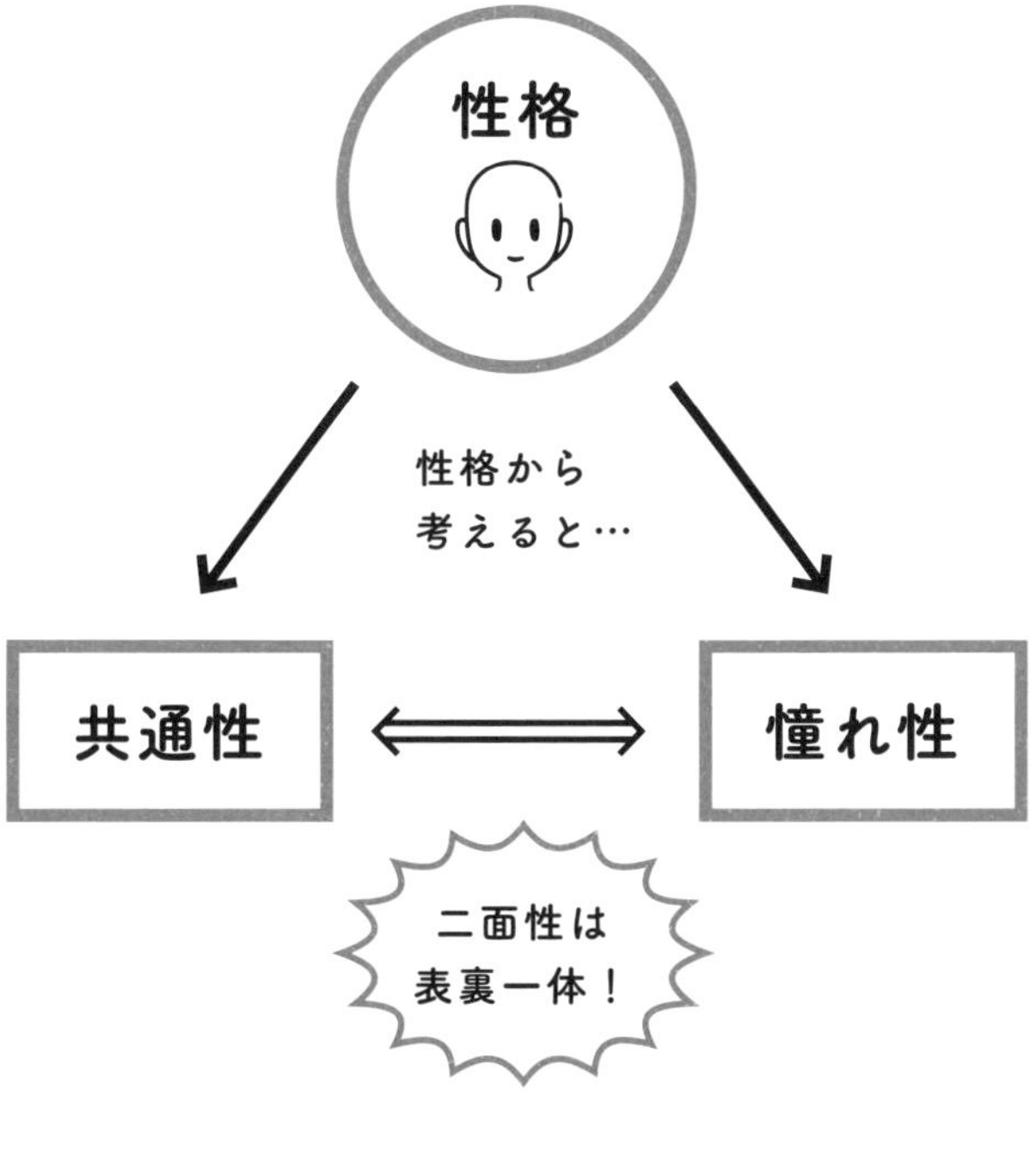

「〇〇すぎる性格だから、憧れ性は△△できる。なら共通性は、××しがち」
「〇〇すぎる性格だから、共通性は××しがち。なら憧れ性は△△できる」

このように性格と憧れ性、共通性を関連づけることで、主人公のキャラクターを考える軸ができます。

Q1 「前向きすぎる性格」の主人公の憧れ性と共通性を考えてみてください。

「えっと、前向きすぎる性格だから、きっとすぐ行動することができそう。これが憧れ性かな。でも、その分うまくいかないこともありそうだから、共通性は、行き当たりばったりになりがち、かな」

「いい感じ！　こう考えると、性格と憧れ性、共通性がバラバラにならないので、その人がどんなことをしそうか、言いそうかのイメージもしやすいよね」

性格と憧れ性、共通性は、登場人物の心臓部分をつくるようなものです。軸が定まることで、登場人物のセリフや行動のアイデアも、どんどん湧いてきます。登場人物を考える時は、性格と憧れ性、共通性を考えてから見た目などの特徴を想像してもいいですし、見た目などのイメージから考えてもいいので、やりやすい方法を見つけてください。

まだ誰も会ったことのない「のっぺらぼう」を魅力的な登場人物にするための、参考イラストを次ページに載せておきました。登場人物をつくる時に、使ってみてください。このイラストは四章でお伝えする「構成の立て方」でも活用できますよ。

作家の腕を使おう

憧れ性、共通性は登場人物の性格と関連づけて考える

性格を考える時は「～すぎる性格」とはっきりさせる

作家の眼を使おう

人間にはいろいろな面があります。日頃から、もしも身近な人を登場人物にするなら、性格、憧れ性、共通性をどう描くかを考えてみよう

エピソード
見た目
特徴
内面
境遇　育ち　家族　友人　成功体験・失敗体験
年齢　服装　習慣　身体的特徴
言葉遣い　趣味　特技　好き嫌い　クセ　スキル
考え方　人付き合い　目的　秘密　弱点
性格
憧れ性
共通性
脱のっぺらぼう

エピソード　ひーちゃん、人間を描きだす!?

気づいたら、もう夜中の二十四時になろうとしていた。それでも、ミソ帳を書く手が止まらない。

ちっさいおっさんの言うとおり、登場人物のキャラクターをちゃんとつくったら、いろんなアイデアが湧いてくる。

ちっさいおっさんは、そんなおれの姿を消しゴムを枕にして眺めている。

「ねぇ、ちっさいおっさんが言ってた『さっちゃん、ちーちゃ

ん の米騒動』がおもしろくて、『腕輪物語』がイマイチな理由、ムカつくけど、なんかわかった気がする」

「ふ〜ん。そうなの？」

昔のノートを、読み返してみる。

「『さっちゃん、ちーちゃんの米騒動』は、小学四年の時の担任をベースにして、修二と一緒にケラケラ笑いながらキャラクターをつくったんだよね。たまたまだけど、性格も、憧れ性も共通性もなんとなくできてるわけ。でも……」

「でもぉ〜？」

思わず舌打ちがでる。

「でも、いま書いている『腕輪物語』は、なんかすごい作品にしたくて、設定やストーリー展開ばかり気にしていて……」

「気にしてぇ〜？」

おれはわざとちっさいおっさんから、視線を外す。

「肝心の、人間を描いてなかったんだよね」

だから書いててもあまり楽しくなかったし、途中で止まってばかりいたんだ……。

いつの間にか立ち上がったちっさいおっさんは、真っ直ぐにおれを見て、指で拳銃の形をつくって「ズキューン！」とやってくる。

「それ、ムカつくんですけど……かずちゃん」

かずちゃんが、ニコニコ笑う。おれも思わずニヤニヤしてしまう。なんなんだ、この状況！

かずちゃんが寝転がる。おれは、引き出しからハンカチをだして、かずちゃんにそっとかける。ペンの音と、かずちゃんの寝息だけが部屋に響く。

おれは、自分のあごを指でトントンと叩く。

そうだ、明日！

おれは自分のアイデアに、ニヤニヤが止まらなくなっていた。

ミソ帳memo

〜すぎる性格の

「主人公が△△しようとする姿」

「シンプル一行」に、キャラクター設定を代表して「〜すぎる性格」を加えよう。これだけでも主人公が動きだしそうで、ワクワクするよね！

第2章

登場人物らしい「姿」を
描きだせ！

登場人物の動かし方

エピソード　真嶋修二の場合

■ちょっと噛み合わない朝

サッカー部の朝練が終わって、顔を洗う。いくら体を動かしたあととはいえ、秋も深まってくると、水道水の冷たさはこたえる。

顔を拭こうとタオルを手探りで探す。あれ、置いたはずなのに、ない。顔を上げると、「へへへっ」とひーちゃんがヘラヘラしながら、ぼくのタオルを持っている。

「あなたの探しものは、これかな?」

「ったく」

タオルを奪い取ろうとすると、ひーちゃんはぼくの手からタオルをひょいと遠ざける。思わずため息がでる。

ひーちゃんは、相変わらずヘラヘラしている。いつも通りのひーちゃんという感じだ。「はいよっ」と言って、投げられたタオルを受け取る。

顔を拭いて、一緒に首元に残る汗のベタつきもぬぐう。顔を拭き終えると、ひーちゃんが一冊のノートを見せてくる。

「それとも、これかな？」

「え？　このノートって、昨日図書室で渡された……？」

「そう。『ミソ帳』って言うらしい。修二に見てもらいたくて。あのあとさ、物語のアイデアがいろいろ浮かんだんだよ」

昨日は「物語を書く気がない」みたいなことを言っていたくせに……なぜか、ひーちゃんの目を見ることができずに、グラウンドの方に顔を向けて「ふ～ん」と気のない返事をしてしまう。

「まぁ暇な時にでも、読んでみてよ」

ひーちゃんは、ぼくの様子を気にすることもなく、「はいよっ」と言ってタオルを持っている手の上にノートを置く。

「んじゃ、おれは先に行ってるから」

「えっ？」

ひーちゃんはポケットに手を突っ込んで、教室の方へと歩きだす。

ノートを見る。表紙には「ミソ帳」と書かれている。朝の日差しのせいか、一瞬だけ表紙が光った気がした。

■ぼくは、物語を書きたいのかもしれない

塾へ向かう足は重い。

朝練、授業、昼休み、授業、部活。そして、塾。ぼくの一日は忙しい。中学二年ともなれば、受験を意識して当然だ。部活に受験勉強ともなれば、自分の時間なんてないに等しい。みんな、そうだ。ぼくだけが特別というわけじゃない。でも……昨日の図書室のことが、頭をよぎる。

ぼくは、物語を書きたいのかもしれない。

それに今朝のひーちゃんは、なんだか楽しそうだった。ひーちゃんから受け取ったミソ帳と

いうノートには、物語のアイデアが書いてあるらしい。ひーちゃんが考えた物語を読むなんて、いつぶりだろう。小学生の時はいつも一緒に物語を考えていたのに。「マーシーひかる」は、いいコンビだったのに……。

ひーちゃんは、いつからぼくをマーシーって呼ばなくなったんだっけ。

塾についたら、ヘッドフォンをしてモニターの前に座る。自分が取るべき授業を選んでタップ。それだけで、一流と言われる講師の授業がはじまる。ブース型になった席は、周りの目も気にならないし、自分のペースでできるからありがたい。でも……モニターには、あくびをかみ殺すのに必死なぼくの顔が、ぼんやり浮かんでいる。

眠気覚ましにひーちゃんから渡されたノートを開いてみる。ノートには、ひーちゃんの字でアイデアがびっしりと書かれている。

嬉しくなったのは、小学校の時に一緒に考えた『さっちゃん、ちーちゃんの米騒動』のキャラクターが詳細に書かれていること。懐かしい。それに！

「ハハッ」

思わず、笑い声がでてしまう。おもしろい！

「そう。おもしろいのよ」

「うん、ほんとに」

と言って、驚いた。ぼくはいま、誰かと会話をした!?　思わずうしろを振り向く。中腰になって、周りのブースを見回す。みんな、ヘッドフォンをしてモニターに向かっている。

ゆっくり座り直すと、ミソ帳の上から「よっ」という感じで、ちいさいおじさんがぼくに向かって手を上げる。

ぼくは、目をこする。疲れているのか？　ぼくは、手の甲をつねる。寝ぼけているのか？

「あ、そっちのリアクションね。オーケー、オーケー」

ヘッドフォンの向こうから、ちいさいおじさんの声が聞こえる。

「端的に言うね。こちらのノートは『ミソ帳』と言いまして、そのミソ帳に宿る妖精というんですかね、それがいま、マーシーが目にしている私めでございます。通り名は、かずちゃんです。どうぞ、よろしく」

かずちゃんと名乗るちいさいおじさんは、深々とお辞儀をする。ぼくのこと、マーシーって呼んだ!?

「え、いや、え？」

かずちゃんおじさんは、ピッと手を前にだす。ストップとでも言いたいようだ。ぼくの動揺などお構いなしで話を進める。

「マーシーは、どうします?」

「え? なに? なにが?」

「ひーちゃん、覚醒しはじめたよ。マーシーにも、『先に行く』って言ってたでしょ?」

ひ、ひーちゃんの覚醒? 先に行く? 一体どういうこと?

「マーシーは忙しい。それはオーケー。そういう時期でもあるんだろう。**でも、『作家の眼』を閉じちゃダメだ。**このままだと、『マーシーひかる』はいつの間にか消滅しちゃうよ〜」

口のなかに、ほんのり血の味が広がる。気づかないうちに唇を強く噛んでいたらしい。

「ぼくに、どうしろって言うんですか?」

「一、『マジカル・ミソ帳ツアー』へと一緒に旅立つ! 二、ひーちゃんがつくった登場人物たちを、動かしてみる! 以上!!」

「マジカル・ミソ帳ツアー」? 登場人物を動かす? ひーちゃんが、ミソ帳に書いた魅力的な登場人物たち。これをぼくが動かす? 小学校の頃、ひーちゃんとやっていたみたいに?

「しかも、おもしろく、ね!」

「ぼ、ぼくに、できますかね?」

かずちゃんおじさんは、ぼくの問いには答えず、めくれ! めくれ!と、綱引きのジェスチャーを大袈裟《おおげさ》にする。

ぼくは、ミソ帳の次のページに手をかける。

でも、勉強もしなきゃ……モニターのなかでは、「やるなら、いましかねぇ」と講師が連呼する。いま、やるべきはどっちだ……。

ひーちゃんがぼくにミソ帳を渡したのは、こういうことだったのだろうか？　ミソ帳に書かれたひーちゃんの字。右側に上がりがちなひーちゃんのクセ字を指でなぞる。ぼくは目をつぶり、エイヤッとページをめくる。

1

映像のイメージが湧く「作家の頭」につくり替える

■シンプル一行の「姿」を描く力をつける

「えっと、ぼくは、ぼくはなにからはじめればいいのでしょうか？」

「おっと失礼！　ここは『登場人物を動かす島』。『マジカル・ミソ帳ツアー』で最も想像力と表現力を働かせる場所です。マーシー、準備はいいかな？」

物語は「主人公の変化・成長しようとする姿を描くもの」。そして大切なのは、主人公を中心にした登場人物のキャラクターをしっかり考えることです。ですが、登場人物のキャラクターはちゃんと考えているのに、こんな問題を抱えている人がいるのも事実です。

・登場人物がいきいきしない
・ありがちな行動やセリフしか思い浮かばない
・登場人物が物語のストーリーに都合よく動いている

みなさんにそんな悩みからさよならしてもらうためにあるのが、「登場人物を動かす島」です。この島では、登場人物の「姿」を描くための方法をお伝えします。しかも単なる「姿」を描く方法ではありません。「登場人物のキャラクターならではの姿」を描く方法です。シンプル一行の「主人公が△△しようとする『姿』」の部分に、あなたのアイデアが加わりますよ！

ポイントは、**「〜すぎる性格」ならではの「姿」を描くこと。これができれば、登場人物が物語のなかで動きだします。**「キャラクターはつくったのになぁ……」というモヤモヤは解消！

さぁ一緒に、登場人物の「姿」をイメージする「作家の頭」と、登場人物を動かす「作家の腕」を磨いていきましょう！　最初のキーワードは「映像思考」です。

■「映像思考」で、登場人物の「姿」を想像する

「『映像思考』？　初めて聞きます。むずかしそうですね。ぼくにできますか？」

「もちろん！　マーシーはマンガを描いてたよね？　あれも『映像思考』だし、サッカーの試合で活躍しているイメージをするのも『映像思考』なんだよ」

「作家の頭」になると、いつの間にか登場人物の「姿」が頭に浮かびはじめます。これを、シナリオ・センター式では「映像思考」と呼びます。**「映像思考」というとむずかしそうですが、要は登場人物の行動を、具体的にイメージすることです。**新井一はイメージなどを司《つかさど》るのは右脳なので、「右脳を働かせろ」と言います。実際に「映像思考」をやってみましょう。

Q1　昔話『桃太郎』の桃太郎をどこかに立たせてください。

「えっと、どこかな。おじいさんとおばあさんの家の前ですかね」

「そう、そんな感じ。いまはただ立っているだけだね」

Q2 桃太郎が立っているのは、いつですか？　時間帯をイメージしてください。

「えっと、早朝ですかね」

「いいね、いいね。朝じゃなくて、早朝ね！　もし夕方とか、夜だったらと考えると、時間帯だけでもなんとなく雰囲気が変わるよね」

Q3 桃太郎は誰と、どんな風にいますか？

「さらに登場人物が増えるんですね。えっと、早朝に家の前にいて、おじいさんおばあさんが心配そうにしてるかな。おばあさん、泣きそうな感じかも」

「お！　もしかして、鬼退治へ出発する日ってこと？　はやくも『映像思考』、バッチリだね！　向き合っているか、並んでいるかなどなど、人物同士の位置関係とかもイメージすると、よりいいよ！」

登場人物が、どこに、いついるのか、誰と、どんな風にいるのかをイメージするのが「映像思考」の第一歩です。みなさんにとっては、朝飯前ですよね。

作家の腕を使おう

登場人物の行動までイメージすることを「映像思考」という

登場人物が、どこに、いついるのか、イメージする

登場人物が、誰と、どんな風にいるのか、イメージする

作家の眼を使おう

日頃から、「映像思考」の感覚を養うために、目にしたものを頭のなかで再現するクセをつけておこう

■「映像思考」でシーンを描く

「もしかしたら、『映像思考』って意識してないだけで、普段からやっているのかもって気がします」

「ご明察！　さすがマーシー、その通り。だからこそ『映像思考』を意識することで、物語つくりが100倍楽しくなるから味わってみてよ！」

昔話『桃太郎』を使って、さらに「映像思考」に慣れていきましょう。「気が弱すぎる桃太郎」が、おじいさんに鬼退治を頼まれるシーンでやってみましょう。

Q1 場所によって桃太郎の言動がどう変わるか、考えてください。

① 桃太郎の家。おじいさんとおばあさんがいる

② 村の集会場。おじいさんとおばあさんに加えて、村の人たちもいる

「気が弱いわけだから、①桃太郎の家なら『えぇ～ぼくですか～はぁ～ぼくが鬼退治ですかぁ～』とか情けない感じで、②村の集会場だと、他の人もいるから、あまりウジウジもしていられないだろうし……うつむきながらボソッと「わかりました」とつぶやく感じですかね」

「おっ、場所によって桃太郎の言動が変わったね」

単に場所が変わっただけなのに、なぜ桃太郎の言動が変わったのでしょうか。それは桃太郎が感じる雰囲気が、場所によって変わるからです。みなさんだって、初めて行く塾と通い慣れた塾では、緊張感が違いますよね。**場所によって言動が変わるのは、登場人物も一緒です。**

次に時間帯についても考えてみましょう。

Q2 「気が弱すぎる桃太郎」が、おじいさんに鬼退治を頼まれます。

① 桃太郎の家。朝に鬼退治を頼まれる

② 桃太郎の家。夜に鬼退治を頼まれる

「あぁ〜朝と夜ってだけで、なんか変わりそうっていうか。夜の方が、より深刻な感じというか……おじいさんの言動も桃太郎の言動も、朝と夜でだいぶ変わってきそうです」

「そうそう、そういうこと！　学校のトイレと一緒。昼に行くのと、放課後の薄暗い時間に行くのでは全然違うでしょ？　ちょっとうしろが気になったりして……」

「場所」と「時間帯」が変わるだけで、登場人物の言動は変わります。応用編として「天気」もあります。快晴か雨かでも、雰囲気が違います。**「映像思考」ができるようになると、ありきたりなシーンから抜けだせます。**みなさんの想像力を、フル回転させてください。

みなさんがミソ帳に書いた「シンプル一行」には、すでに主人公のキャラクターのアイデアがあるはずです。

「～すぎる性格の主人公が△△しようとする姿」

主人公のキャラクターを常に考えながら、「映像思考」を使って主人公ならではの「姿」を描いていきましょう。

作家の腕を使おう

場所、時間帯によって、登場人物の言動が変わる

場所と時間帯を工夫して、シーンの雰囲気をつくる

作家の眼を使おう

日頃から、どういう場所が、どんな雰囲気を持っているのかにも気を配ろう

早朝、夕方、深夜などなど、時間帯が持つ独特の雰囲気にも作家の眼を向けよう

2
登場人物を動かす「リトマス法」を身につける

■あなたの手で、登場人物を動かしていく

「だんだん、頭のなかに映像が浮かぶようになってきた気がします！　これって、『作家の頭』になってきたってことですか？」

「そういうこと！　そうしたら次は、登場人物たちを動かしていこう！」

いよいよ登場人物を動かしていきます。登場人物を動かす基準は、「キャラクター」です。

表現技術では、**登場人物のキャラクターからでた言動を「アクション・リアクション」と呼びます。アクションとは、登場人物の主体的な行動。リアクションとは、登場人物の出来事に対する反応、のことです。アクション・リアクションは、物語の一場面である「シーン」で描かれます。シーンのなかで、どんなアクション・リアクションを描くかこそ、「作家の腕」の見**

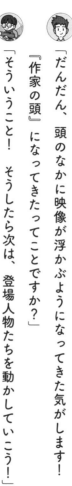

せどころです！

ではどうすればいいのか？　さっそく、やっていきましょう。

■「リトマス法」を使って、登場人物を動かす

「いよいよ登場人物を動かすんですね。楽しみだけど、うまくできますかね」

「登場人物のアクション・リアクションを考える時のポイントさえ掴めば、大丈夫！」

まずみなさん、一章で登場した「勇敢すぎる桃太郎」「へそまがりすぎる桃太郎」「気が弱すぎる桃太郎」の三タイプの桃太郎を思いだしてください。

いま、みなさんの頭のなかでは、三タイプの桃太郎の「姿」が思い浮かんでいるだけです。動いてはいません。ぼーっと立っています。登場人物を動かすには、「このキ

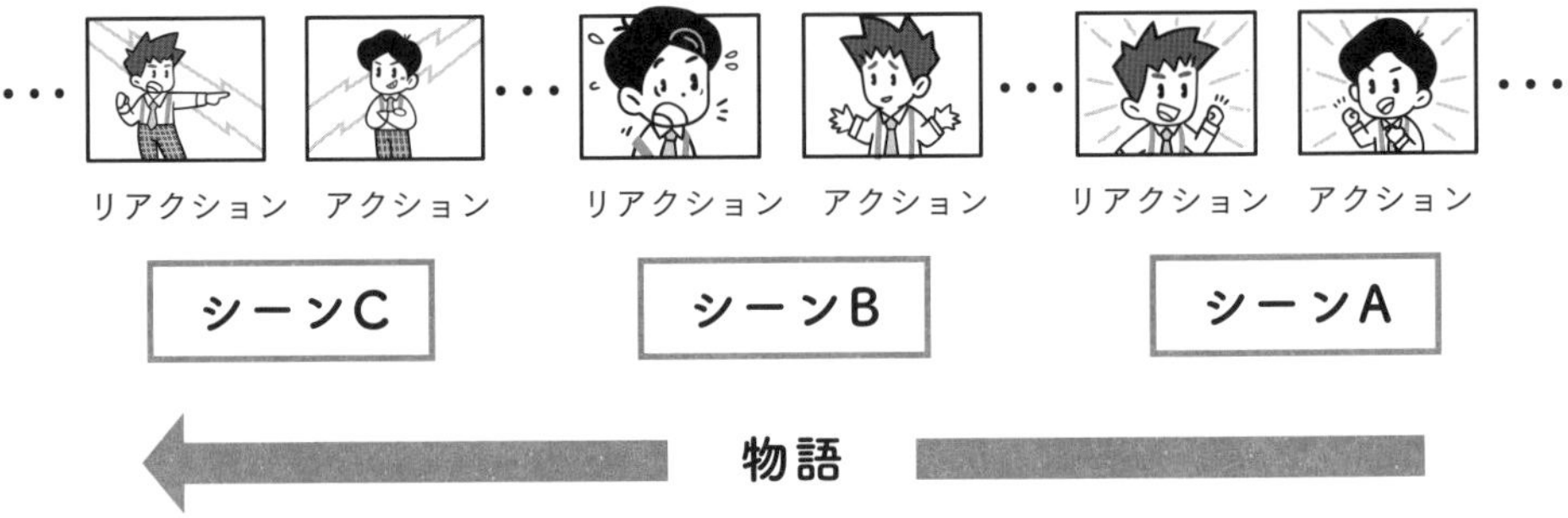

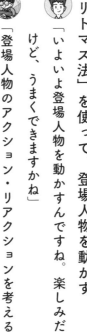

ャラクターの桃太郎だったら、こんなことがあったらどうするだろうか？」と考えて、登場人物になにかしらの刺激を加えます。その方法が「リトマス法」です。

急に理科の用語がでてきて、驚いたかもしれません。リトマス法とは、理科の実験で行ったリトマス液で水溶液の性質を調べる原理を、物語つくりに応用したものです。

リトマス法の使い方は簡単です。**動かしたい登場人物に向けて、人物、セリフ、出来事、小道具、事件、事情、自然現象など、リトマス液になるものを投入するだけです。**たったこれだけで、二つのことができます。一つ目は**登場人物のリアクションを引きだし、次のアクションへとつなげること。**二つ目は、**そのリアクションによって、登場人物の性格や設定したキャラクター、感情、考え、目的、葛藤、変化などを伝えられること**です。

リトマス法を使うことで、登場人物の「姿」から、目には見えない性格や感情などの部分を描くことができます。

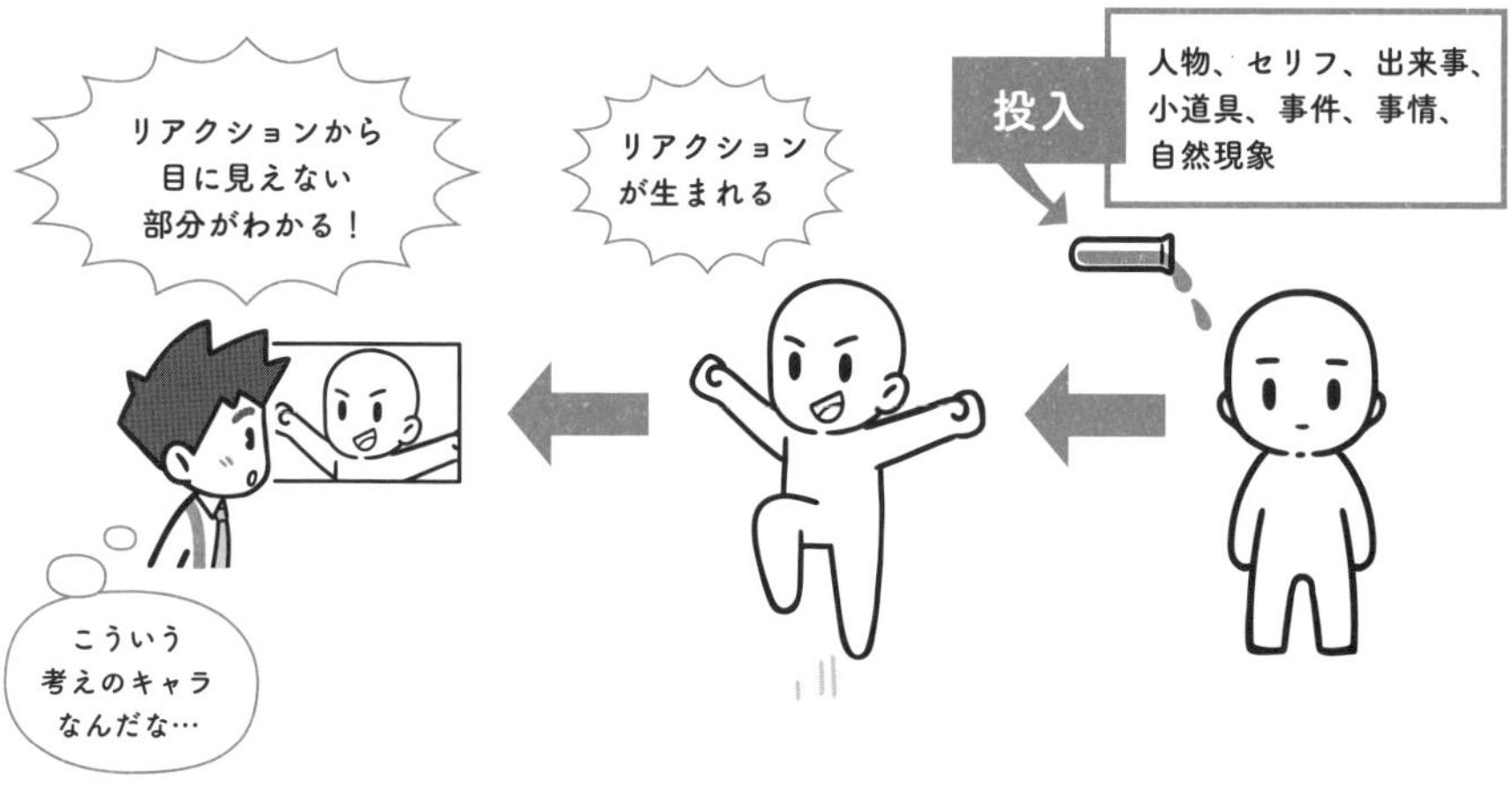
人物、セリフ、出来事、小道具、事件、事情、自然現象
投入
リアクションが生まれる
リアクションから目に見えない部分がわかる！
こういう考えのキャラなんだな…

作家の腕を使おう

登場人物を動かすには、なにかしらの刺激が必要

リトマス法を使って、登場人物のリアクションを引きだす

登場人物のリアクションから、目に見えないキャラクターや感情なども表現できる

作家の眼を使おう

日頃から、自分はどんなことが起きると、どんな行動をするのかも気にしておこう。その行動から自分のどんな面がでているのかも、考えてみよう

■「リトマス法」を使いこなす

「『リトマス法』、なんか楽しそうですね！　いろいろやってみたいです」

「いいね、いいね！　なんでも試していけば『作家の頭』になっていくからね」

昔話『桃太郎』を使って、リトマス法を使いこなす練習をしてみましょう。ポイントは登場人物のキャラクターならでは、を描くことです。

Q1 桃太郎のキャラクター（①勇敢すぎる桃太郎　②へそまがりすぎる桃太郎　③気が弱すぎる桃太郎）がわかるリアクションを引きだしてみましょう。

「まずはキャラクターですね。『おばあさんが桃を割る』というアクションに対する、桃太郎のリアクションを①『元気にでてくる』②『めんどくさそうにでてくる』③『オドオドしながらでてくる』とすれば、桃太郎のキャラクターがでませんか？」

「いいね。おばあさんという登場人物のアクションに対する、桃太郎の桃から生まれるリアクションに、キャラクターがでてるね！」

Q2

人物以外で、桃太郎のキャラクターがわかるリアクションを引きだしてみましょう。

「そうですね～。『大きな雷』が落ちてきた時の、桃太郎のリアクションとして、①『怯《おび》えるおばあさんを励ます』②『怯えるおばあさんに、雷が落ちる確率をブックサ言う』③『おばあさんと一緒に怯える』とか？」

「おっ、自然現象をアクションとして投入したわけね。しかも雷へのリアクションだから、鬼退治とのつながりもある。にくいねぇ！」

Q3

桃太郎の感情がわかるリアクションを引きだしてみましょう。

「感情かぁ～。むずかしそうですね。たとえばアクションとして『仲間になったサルとイヌのケンカ』で、桃太郎のリアクションとして、『いい加減にしろ！って怒

鳴る』ならイライラしている感情で、『ただため息をついて眺めている』なら呆れている感じ。『二人の顔を交互に見ている』ならこまっている感じでしょうか」

「うんうん。ケンカという事件へのリアクションね。リトマス法、使えてるね」

Q4 ちょっとレベルアップ。小道具を使って、桃太郎の「姿」を描いてみましょう。

小道具とは、登場人物が持っていたり、部屋に飾ってあったりする動かせる物です。

「う〜ん……『きび団子』へのリアクションとして『桃太郎が食べながら泣いている』姿に、心細くなっている気持ちをだせますかね。あと、『桃太郎って書いてあるハチマキ』を使えば、『ギュッと握る姿』に、決意する気持ちを表せますかね」

「ほぉ〜マーシー考えたねぇ〜小道具をうまく使えてる！」

小道具を使うと、セリフなしで、桃太郎の気持ちや気持ちの変化を表現できます。**小道具を使う時は、ただの物ではなく、登場人物にとって「意味」のある物にしてください。**そのために小道具に意味を持たせるシーンをさりげなくつくっておきます。これを表現技術では「伏線《ふくせん》を張る」といいます。小道具を使うと、物語全体がプロっぽくなりますよ！

リトマス法は、物語のなかでどんどん使ってください。リトマス法では、登場人物の「リアクションを引きだすもの」と、それによって登場人物の「なにを、どんなリアクション」で描くのかを分けて考えると、アイデアがでやすくなります。

リトマス法に慣れると、「登場人物が勝手に動きだす」という感覚がみなさんのなかに生まれます。一流の小説家や脚本家、マンガ家さんが言う、あの状態にあなたもなれるのです！

作家の腕を使おう

リトマスとして小道具を使うことで、目に見えない登場人物の感情などを描く

リトマス法を使いこなすと、登場人物が勝手に動きだす

作家の眼を使おう

日頃から、目に見えない人間の感情はどんなリアクションで描くことができるか、作家の眼を向けよう

3

続きが書きたくなるシーンのつくり方

■登場人物に「障害」をぶつける

「『リトマス法』でアイデアを考えるの楽しいです。これさえあれば、物語も書けちゃいそうです」

「その意気込みは嬉しいけれど、そうは問屋が卸《おろ》さないのが、物語つくりの奥深さ&楽しさ！　考えたいのは、主人公のどんな『姿』を描けば、物語がおもしろくなるかってこと」

物語は、たくさんのシーンがつながってできあがります。シーンひとつひとつがおもしろければ、物語全体がおもしろくなります。そうすれば、みなさんの物語つくりはさらに楽しくなります。

おもしろいシーンには、二つの条件があります。**一つ目は、登場人物のキャラクターならではのアクション・リアクションが描かれていること。二つ目は、主人公に「障害」をぶつけて、こまらせることです。**

なぜ、主人公に障害をぶつけてこまらせるのか？　それは「物語とは、主人公の変化・成長しようとする姿を描くもの」だからです。主人公がいとも簡単に変化・成長したらおもしろくありません。それは、シーン一つとっても同じです。

ゲームを例に考えてみましょう。さらわれたお姫さまを救うことが目的のゲームで、すぐにお姫さまを助けだせたら……そんなゲームは楽しくありません！

主人公の行く手を阻む「障害」がたくさんでてきて、なかなか進めないから楽しいのです。**ゲームも物語も主人公がこまるほどに、「おもしろい！」とお客さんは感じるのです。**

■登場人物にぶつける三つの「障害」

「確かに、主人公がこまっていると、どうなるのか気になりますもんね。ということは、『障害』を考えればいいわけですね」

「そういうこと！　マーシー、どんどん鋭くなってくるね！」

主人公にぶつける「障害」は、「事件」「事実」「事情」の三種類に分けられます。

「事件」とは、登場人物に降りかかる悪いことや、突発的なこと。
「事実」とは、歴史的な事実や、物語内での決まり事。
「事情」とは、登場人物が背負っている、もしくは背負わされるもの。

たとえば、昔話『桃太郎』でもこんな風に障害を考えられます。桃太郎の村が鬼に襲われるというのは、「事件」です。村には鬼退治に行ける若者がいないという「事実」があります。それによって鬼退治に行くしかないという「事情」が生まれます。この全てが、のどかに暮らしていた桃太郎にとっての障害です。そして、障害にぶつかることで、主人公はこまります。

作家の腕を使おう

障害には、「事件」「事実」「事情」の三種類ある

主人公に障害をぶつけると、主人公はこまる

作家の眼を使おう

なにかをしようとすると、必ず障害が生まれる。日頃から、どんなことが障害となるのか観察して、ミソ帳に書いておこう

■主人公はこまって「迷う」「イライラする」

「障害には三種類あるのか。知らなかった。障害をぶつけてこまらせたら、どんな主人公の『姿』を描くかが重要ですよね？」

「くぅ～マーシーは、いいところ突くねぇ～。そうなんです。大きく二つあって、『迷う姿』と『イライラする姿』ね」

主人公に障害をぶつけてこまらせたら、主人公のどんな「姿」を描くかを考える必要があります。その一つが、進むかどうか「迷う」姿です。

Q1 桃太郎が鬼退治に行くかどうか迷う障害を考えてください。

「えっと、ふつうは鬼退治なんて怖いから行きたくない。けど、行かなきゃとなるわけだから『事情』が使えるのかな……唯一の幼馴染《おさななじみ》が、桃太郎をかばったことで鬼にさらわれてしまった、とか」

「いいねぇ～。『行きたくない』と『助けなきゃ』の間で、かなり迷うねぇ～」

主人公を迷わせる時は、主人公にとって同じくらい価値のある二つのものの間に立たせることで、主人公を迷わせることができます。

Q2 Q1の答えをもとに、桃太郎の「姿」を描いてみてください。

「なんかむずかしいけど、リトマス法を使えばいいのかな。あ！　幼馴染からもらったお守りを見たり、目を逸らしたりするとかで迷っている感じがだせそうです」

「おぉ～小道具のリトマス法も使って、迷う気持ちを桃太郎のリアクションで描いているね」

障害をぶつけることで、主人公は進むかどうかで迷います。するとお客さんは、この主人公はどうするのだろうかと、次の行動が気になります。

障害をぶつけてこまった主人公の「姿」の二つ目は、進みたいのに進めない「イライラしている」姿です。

Q3 鬼退治を決心した桃太郎に「障害」となるものをぶつけてください。

「鬼退治に行きたいけど、村に協力してくれる人がいないとか、稽古《けいこ》をしすぎて怪《け》我《が》をしてしまうとか、でしょうか」

「いいね！　勇敢すぎる性格の桃太郎だったら特にイライラしそうだよね！」

Q4 **Q3**の答えをもとに、桃太郎の「姿」を描いてみてください。

「おじいさんに『村は年寄りばかりですまん』とあやまられて、悔しそうに唇を噛むとか、『それでも、それでもなにか方法が……』と言うとかですかね。怪我した桃太郎だったら、痛めた足を拳《こぶし》でこづくとか……」

「いい感じ。鬼退治に行きたいのに行けない桃太郎のイライラがでているね」

障害をぶつけることで、主人公は進みたいのに進めません。するとリアクションとして、「イライラ」します。主人公のイライラがお客さんにまで伝わるように描けると、物語はどんどんおもしろくなります。

障害にぶつかった主人公は、進むかどうか迷う「姿」、もしくは進みたいのに進めない「姿」を見せます。お客さんは「どうなるんだろう」「どうするんだろう」と気になります。**お客さんが主人公のことが気になる状態を、表現技術では「感情移入」といいます。「感情移入」は、主人公のキャラクターならではのアクション・リアクションを描くことで、さらに強くなります。**

「登場人物を動かす島」は楽しめましたか？　登場人物を動かすには、まず「映像思考」をすること、次にリトマス法を使うこと、そして障害をぶつけてこまる「姿」を描くことです。その「姿」は、必ず登場人物のキャラクターならではのアクション・リアクションで描きます。

新井一は言います。「ドラマとは、人間を描くこと」であり、それは「絵柄をイメージすること」だと。

作家の**腕**を使おう

「障害」にぶつかると、主人公は「迷う」、もしくは「イライラする」

「迷う」姿と「イライラする」姿に、キャラクターをだす

お客さんは、障害に対する主人公のアクション・リアクションに感情移入をする

作家の**眼**を使おう

日頃から、自分がなにかに迷っている時、人がなにかにイライラしている時、どんなアクション・リアクションをするのかにも、作家の眼を向けよう

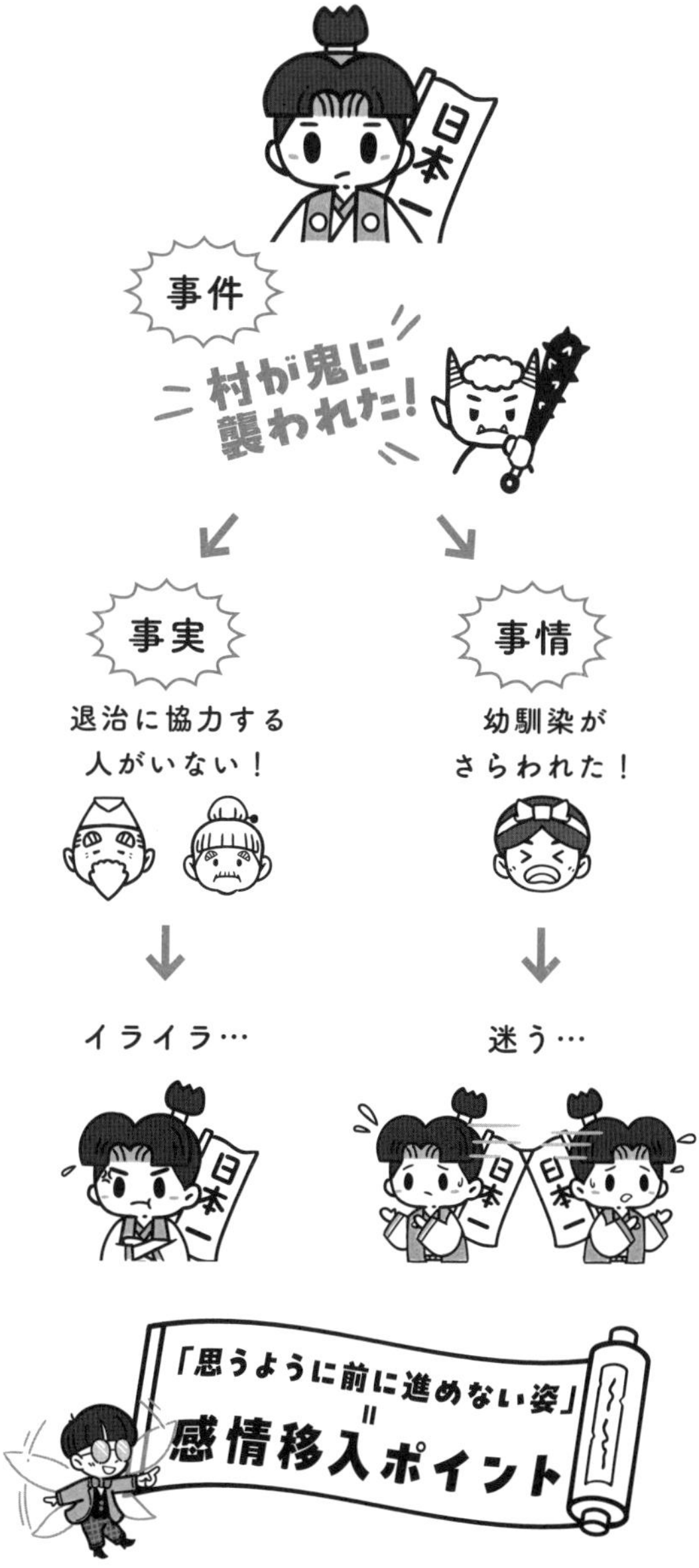
日本一
事件
村が鬼に襲われた！
事実
退治に協力する人がいない！
事情
幼馴染がさらわれた！
イライラ…
迷う…
日本一
日本一
日本一
「思うように前に進めない姿」
＝
感情移入ポイント

エピソード

「作家の頭」と「作家の眼」は、眠らせるな！

■経験の全てが物語つくりの役に立つ

自分でも、驚いた。

中学生になってから物語なんて書いてないのに、登場人物たちがどんどん動きだす。「映像思考」に「リトマス法」。これだけでいろいろなアイデアが浮かんでくる。

「あぁ〜物語を考えるって、やっぱり楽しい〜」

思わず声に漏れる。

「でっかい、独り言だなぁ」

ヘッドフォンをハンモックのようにして寝そべるかずちゃんおじさんが、呆れたように言う。

でも、どこか嬉しそう。

「お世辞でもなんでもなく、ミソ帳って、すごいですね？」

「う〜ん。すごいのはね、マーシーね。『どう書くか』がわかれば『なにを書くか』はマーシー次第なんだから」

「そ、そうなの？」

「そうだよ。だからさ、時間がないことを気にすることはないの。『作家の腕』を動かす時間がなくても、『作家の頭』があれば、登場人物たちは動きつづけるんだから。**どんなに忙しくても『作家の頭』と『作家の眼』は止めちゃダメなの**」

ぼくは、こくりとうなずく。

「それに、マーシーがいまだからこそ感じる悩みとかイライラとか焦りとかって、貴重なんだよ。それもミソ帳に書くといいよ」

「そういうことも、書いていいんですね。でも……ちょっと恥ずかしいな」

「恥ずかしいかもしれないけど、マーシーが経験して、感じたことや考えたことは、次の瞬間にはもう過去になっちゃうわけじゃない。だから書きとめないと、流れていっちゃうのよ」

「そういうものでしょうか……」

かずちゃんおじさんがつぶやく。

「『パンタ・レイ』ってやつよ」

「え？　パンタ？　パンタ・レイ？」

「そう。日本だと、鴨長明《かものちょうめい》さんが『行く川の流れは絶えずして〜』っていうでしょ？　同じような毎日を生きているようで、本当はそうじゃないよってやつ。**『作家の眼』**はね、**自分の内側にも向けておかないとね**」

「そっか。そうですよね！」

　突然かずちゃんおじさんが、真っ赤な顔になって、

「あぁ〜」と叫んでヘッドフォンの耳あてに顔をうずめる。

「おっさんになると、説教くさくなっちゃうのよねぇ」

　かずちゃんおじさんは、「いやだわ、やだ、やだ」とブツクサいいながら、よろよろっと立ち上がる。そして「どろんしま〜す」と、忍者のように顔の前で手を合わせて、パッと消えてしまった。

　あたりを見回す。かずちゃんおじさんの姿はない。モニターに向かう塾生がいるだけだ。

　ぼくは、もう一度ミソ帳を眺める。自分からこんなにアイデアがでてくるなんて……。

　ぼくは大きく伸びをして、さっきまでかずちゃんおじさんが寝そべっていたヘッドフォンをつける。この勉強している時間だって、全て物語に役立つんだから！

明日、ひーちゃんにミソ帳を見せよう。最初のセリフはなににしよう、ひーちゃんのリアクションはどうなるかな。その時、ぼくはどんな気持ちになるのかな。

モニターに反射して映るぼくの顔は、なんだかニヤニヤしていた。

ミソ帳memo

「主人公が△△しようとする姿」

〜すぎる性格の

アクション
リアクション

主人公がなにをしそうか、言いそうか、その「姿」を描きたくなってきたでしょ！

第3章

主人公をいきいきさせろ!

物語の設定のつくり方

エピソード　大田垣さやかの場合

■なにも解決しない昼休み

「大田垣、いいんじゃないか。この方向でやってみたら」

あたしは前髪をわしゃわしゃして、でそうになるため息をグッとおさえる。

あたしはそんなことを聞くために、わざわざ昼休みに職員室に来たんじゃない！　具体的なアドバイスがほしいんだ。別に期待なんかしてない。でも、もう少しなんかあるだろう。顧問なんだから！

「でも村田先生、なんかいま一つ、インパクトに欠けるというか、ありきたりというか」

あたしの自信無げな声を聞いて、村田先生が再び企画書に目を落とす。

三月の上演まで余裕はない。そろそろ設定くらい決まらないと、台本も進まない。

「そしたら、もう少し設定を練ってみるか？」

「いや、それができないからこまってて……」

あたしは、たまらず下を向く。ここ二週間、同じようなやり取りの繰り返しだ。村田先生……いや「リザブー」のヤツ。そんなだから、生徒から補欠扱いのあだ名をつけられるんじゃないのか!?

あたしは、前髪をわしゃわしゃわしゃとさわりながら、「わかりました」とつぶやいて振り返る。

ドンッと、誰かにぶつかる。

「あ、すいません」

顔を上げると、小早川光が肩を押さえて、ヘラヘラ笑っている。真嶋くんが心配そうにこちらを見る。

なんだ、小早川か。謝って損した。ってか、こいつら、いつからいたんだよ。

「大丈夫か？」

小早川の声も、私を追う小早川と真嶋くんの視線も無視。下を向いたまま、職員室をあとにする。

最悪だ！　最悪だ!!　最悪だ！！！

リザブーに、一ミリでも期待したあたしがバカだった。

「いいんじゃないか」じゃねぇんだよ。どこがいいのか、せめて言えよ。挙げ句の果てに、「設定を練ってみるか?」って。なんなんだよ、こっちは何日も何日も何日も何日も何日も、一人で考えてんだから!!

気がつくと、グラウンドに来ていた。男子たちが、制服のままサッカーをやっている。相変わらず騒々しい。

あたしは、グラウンド横のイチョウの木の下で、しゃがみ込む。踏み潰された銀杏を、落ち葉でつつく。好きで入った演劇部。小さい頃から好きだった書くこと。もう全部、嫌いになりそうだよ。

「そんなことしてたら、臭くなるぞ」

いつの間にかうしろに来ていた小早川が、あたしの顔をのぞき込むようにしゃがむ。

「ってか、大丈夫か?」

「はっ? なにが?」

「いや、よくわかんないけどさっ。さっきリザブーに、発表会の相談してたんじゃないの?」

「は? あんたに関係ないでしょ」

「いや、まぁ関係ないっちゃ、関係ないんだけどさ」

そう、関係ない。小早川には、一ミクロンも関係ない! 小早川のヘラヘラした顔、腹が立つ。

そうだ！　思いだした。こいつは発表会の時も、ふざけた拍手をしていた。人を小バカにしてくる小早川。大嫌いなタイプの人間だ。

「リザブーから、これ。大田垣に返しておいてくれって。大切なんじゃないの？」

小早川は、あたしがつくった企画書を差しだす。

あたしは、慌ててひったくる。腹が立つ。リザブーも、小早川も。

「なぁ、これ。使ってみろよ」

小早川が、一冊のノートをだしてきた。

「は？」

「図書室に、司書のじいさんいるだろ？　その人に薦められたんだけど、これ、大田垣さやかに必要かもと思って」

なに、こいつ。バカなの？　なんで、あんたからノートなんて借りなきゃいけないのよ。そもそもあんたの言うことなんて100％、いや1000％信用できない。

あたしの思いなど、まったく気にせず、小早川が「んっ！」と言って、あたしの目の前にノートを突きだす。あたしは、少しのけぞる。

もう一度、小早川が「んっ！」と言って、ノートを突きだす。無器用なアニメの登場人物が、どしゃ降りの雨のなか姉妹に傘を貸そうとするシーンみたいだ。

あたしは別に、雨に、降られて、ない！

「んっ!!」

小早川は、いつになく真面目な顔で、さらにノートを突きだす。

「意味がなかったら、明日返してくれたらいいんだから」

あたしは、小早川を睨《にら》む。ノートには「ミソ帳」と書かれている。太陽に反射して、ミソ帳の文字がきらりと光った気がした。もう一度、小早川を睨む。

「わかったわよ！　借りる。借りるから、どっか行って。一人になりたいの」

あたしは小早川の手から、ノートをふんだくる。

小早川は「へい、へい」とヘラヘラ笑って、職員室へと戻って行く。

あたしは前髪をわしゃわしゃとさわりながら、部室へ向かう。

あたしにもできるって、誰か言って

昼休みには、誰も来ない部室。三年生が引退して、あたしは部室の鍵を引き継いだ。学校のなかで唯一、一人になれる場所と時間。部長でもないのに、鍵を引き継げたのはラッキーだ。あたしが台本を書くからだろうけど、いまとなってはこの鍵もプレッシャーでしかない。

部室には、大きな黒板と、六人で使える机が四つ。机をどかせば、ちょっとしたお芝居の稽古もできる。一人でいる部室は、あたしの気持ちを少し落ち着かせてくれる。大人になったら、こういう時はカフェでコーヒーでも飲むのだろうか。あの泥水みたいな苦いだけの飲み物を、あたしも美味《おい》しいと思う日が来るのだろうか。早く大人になりたい。大人になれば、好きなことができる。小早川みたいな奴らに、小バカにされることもなくなる。

あたしはゴミ箱の前に立ち、企画書を丸める。リザブーの「まいったな」というような顔、小早川のヘラヘラした顔を打ち消すように、丸めた企画書を勢いよくゴミ箱に投げ入れる。

「設定から、考えなおすかなぁ」

思わずため息が漏れる。だって、もうだいぶ考えたのだから。いまさらあたしから、いいアイデアがでてくるとは思えない。

もう一度、ため息をつく。ため息の数だけ、いいアイデアが浮かべばいいのに。だいたい小早川は、意味がわからない。図書室に、おじいさんの司書なんていない。小早川光、あんたは誰からノートを借りたんだよ！

そう思ったら、笑えてきた。なんの気なしに「ミソ帳」と書かれたノートを広げてみる。なんだか、汚い字でいろんなアイデアが書かれている。他のページは、読みやすい字だ。このノートは、誰かが共有して使っているのだろうか。

それにしても……どちらの字からも、じれったいという感じが伝わってくる。アイデアがでてくるスピードに、書く手が間に合わない、あの感じ。あたしだって少し前までは、考えるのも書くのも、こんな風に楽しくて仕方なかったのに……。

それに、どのアイデアもおもしろい。ちょっと子どもっぽい気もするけれど、「さっちゃん」も「ちーちゃん」もいきいきと動いている。シーンの断片からも、それが伝わってくる。

「いいなぁ～。こんな風に、あたしも書きたい」

伸びをしながら、つぶやいてみる。誰か、できるよって言ってくれないかな。

「できるよ～」

「は？」

あたしは伸びをした体勢のまま、目だけで部室を見回す。もちろん、誰もいない。

「いや、だから、できるよ～って」

声は明らかに目の前から聞こえてくる。あたしは体勢を恐る恐る戻しながら、声の方を見る。

「はい、どうも～」

おじさん？　ノートの上におじさんがいる。しかも、ぺちゃくちゃなんか言っている。気が動転して、話がまったく入ってこない。ミソ帳？　妖精？　かずちゃん？　「マジカル・ミソ帳ツアー」？

昼休みの終わりを伝えるチャイムが鳴る。

あたしは我にかえる。かずちゃんと名乗るおじさんが、時間かぁ～と悔しがっている。

「あ、あたし、きょ、教室に戻らなきゃ！」

「え？　戻っちゃうの？　さやっちの悩み、解決してないのに？」

「あ、あたしの悩み？　『さやっち』ってあたしのこと？」

「そうそう、さやっちは、物語の設定で悩んでるんでしょ？」

あたしは思わず、企画書を投げ捨てたゴミ箱を見る。

「フォルムはおじさんでも妖精なんで。わかるのよ、そういうの」

妖精だからって、わかってたまるか！　あたしは、机に置いたミソ帳と妖精おじさんを置き去りにして、部室のドアへと向かう。


「さやっちの手でおもしろい物語世界は、つくれるよ」

部室のドアに伸ばそうとした手を止めて、思わず振り向く。妖精おじさんが「マジカル・ミソ帳ツアー」と書かれた旗をパタパタ振っている。

私の手で?

「そんなの……ムリでしょ」

あたしは、あたしの言葉に落ち込む……それに午後の授業がはじまってしまう。あたしは部室のドアに手をかける。

「さやっちの手は、それを望んでいるの?」

ハッとして振り向くと、妖精おじさんがミソ帳に鍵穴の絵を描いてニコニコしながら指でさす。

始業のチャイムが鳴り終わる。手に持った鍵を見る。前髪をわしゃわしゃとさわって、部室の鍵を閉める。うしろめたさは、ある……。

「別に、一ミクロンも期待してないから」

あたしは、ミソ帳と妖精おじさんの前にどかっと腰をおろす。

授業をサボるなんて……手のひらの汗を、スカートにすりつける。

1

「世界定め」をしていこう

■主人公にとっても、お客さんにとっても魅力的な設定つくり

「これだけ頑張って設定を練ってもダメだったんだから。うまくできっこないよ」

「それはさぁ、設定を『練った』からかもね。さやっちの『マジカル・ミソ帳ツアー』は『登場人物を投入する島』からはじめよう！　さやっちがワクワクする設定がつくれるよ！」

物語をつくる時、物語の設定をあれこれ考えます。設定を考えること自体はいいことです。

問題は、「変わったもの」「意外なもの」「こったもの」にしたいと思うあまり、「ああでもない、こうでもない」といじくりすぎてしまうことです。その結果、こんな経験はないでしょうか？

・アイデアはでるけど、設定がまとまらない
・設定を活かした物語にならない
・そもそも、「これ!」といった設定のアイデアがでない

そんな悩みを解消する設定つくりのポイントは、「物語とは主人公の変化・成長しようとする姿を描くもの」という基本に戻ることです。大切なのは、「主人公が△△しようとする姿」が、魅力的になる物語世界をつくることです。**珍しい世界をつくることではありません。**

これからはじまる「登場人物を投入する島」では、主人公にとってもお客さんにとっても魅力的な物語の設定のつくり方をお伝えします。シンプル一行の「主人公が△△しようとする姿」に、あなたが考えた設定のアイデアが加わりますよ!

あなたの手で、主人公をすてきな物語世界に投入しましょう。最初のキーワードは、「世界定め」です!

■あなたの手で物語の「世界定め」をする

「『世界定め』？　初めて聞いたけど、なんかちょっとワクワクする言葉だね」

「そうでしょ。『世界定め』がうまくできれば、設定のアイデアもふくらんで、魅力的なシンプル一行ができあがるよ！」

これから物語の「世界定め」をしていきます。一緒にアイデアを考えていきましょう。ただし！　気をつけてほしいことがあります。**物語の設定を考えることが目的になってしまうと、人間が描けていないアイデア倒れの作品になってしまいます。**天丼でいえば、具材（アイデア）はてんこ盛りなのに、ご飯（描くべき人間）がちょろっとみたいな感じです。満足感もないし、胸やけしてしまいます。「ドラマとは、人間を描くこと」です。**人間を描くために物語の設定がある**ことを肝に銘じた上で、「世界定め」をしていきましょう。

「世界定め」は、天地人の三つを考えるところからはじまります。

㊝ 物語の時代・年代
㊞ 物語が行われる舞台・場所
㊟ 主人公をはじめとした登場人物

まずは、昔話『桃太郎』の天地人を整理してみましょう。「天」は「むかしむかし」。「地」は「あるところ」。実際には、岡山とか諸説あります。「人」は桃太郎が主人公です。そしてサル、イヌ、キジ、鬼たち、おじいさん、おばあさんなどが脇役。村人たちは端役です。

「世界定め」のコツは、主人公を軸に考えることです。 たとえば昔話の『桃太郎』であれば、桃太郎の勇敢すぎるキャラクターの「姿」が表れるように、「天」の時代、「地」の舞台、「人」のサル、イヌ、キジ、鬼たち、おじいさん、おばあさん、村人たちを配置します。

Q1 昔話『桃太郎』をもとに、「天地人」のアイデアを考える練習をします。さまざまな「天」「地」を考えてください。

「えぇ～いくらでもいけそう。

㊝ いま現在　㊞ 東京、でもいいのかな。

㊝ ２０５０年　㊞ 月。月につくった基地」

「ふむふむ。いい感じ。ちょっと気になるのが、『地』かな。たとえば、東京と言っても、エリアによって雰囲気が違うよね。表参道、渋谷、吉祥寺、浅草、八王子など、東京のどこなのかを具体的に考えると、物語のイメージが湧いてくるよ」

Q2 シンプル一行に、**Q1** で考えた「天」「地」のアイデアを加えてみましょう。主人公の桃太郎を「気が弱すぎる性格」にしてやってみましょう。

「・いま現在、渋谷を舞台に、気が弱すぎる性格の桃太郎が鬼退治をしようとする姿
・２０５０年、月を舞台に、気が弱すぎる性格の桃太郎が鬼退治をしようとする姿
こんな感じかな？」

「『天』と『地』をずらすだけで、昔話『桃太郎』が、だいぶ違う物語になるね。もはや、昔話ではないから『シン・桃太郎』だね！　物語のイメージもいろいろ湧きはじめたんじゃない？」

「天」「地」のアイデアを考える時は、主人公の「姿」がいきいきしそうかを考えながら、たくさんのアイデアをミソ帳に書きだしてください。「人」のアイデアをだす時は、主人公のキャラクターの軸となる「性格」「憧れ性」「共通性」をあれこれ変えるのではなく、主人公の周りにどんな登場人物がいるとおもしろくなりそうか、人物関係を考えてください。そうすることで、主人公を軸に「天地人」のアイデアが広がります。「人間∧設定」ではなく、「人間∨設定」で考えられます。

作家の腕を使おう

- 「世界定め」は、天：時代・年代、地：場所・舞台、人：登場人物を考える
- 主人公が活きる「天」「地」「人」を考えて、物語のイメージを膨らませる

作家の眼を使おう

- 時代や年代が持つイメージを物語に使えるよう、日頃から歴史や時代性にも作家の眼を向けよう
- 場所の持つイメージを物語に使えるよう、日頃からいろいろなところに出かけてみよう

■「△△しようとする」の考え方

「『天地人』を考えるだけで、『シンプル一行』のアイデアがでてくる！　すごい!!
あれ？　シンプル一行の『△△しようとする姿』ってどう考えるの？」

「そうだよね。『△△』部分の考え方も整理しておこう！　ポイントはやっぱり『主人公』」

昔話『桃太郎』を例に考えてみましょう。昔話『桃太郎』でシンプル一行をつくるとしたら、「勇敢すぎる性格の主人公が、鬼退治をしようとする姿」になります。たとえば、この部分を「鬼退治の仲間を集めようとする姿」だと、どうでしょうか？　鬼退治よりも仲間集めがメインになります。鬼退治自体はシーズン2といったところでしょうか。

シンプル一行の△△部分は、物語全体を通して主人公のどんな姿を描きたいかで考えてください。といってもむずかしいので、△△部分を考える時のコツをご紹介。それは「お客さん（読者や視聴者）が見る物語」というフレーズを「シンプル一行」に足すことです。

「主人公が△△しようとする姿」を、お客さんが見る物語

自分が描きたいことで考えるとあれもこれもとなりがちですが、お客さんの視点で考えると、客観的になれます。お客さんといっても、友だちでもいいですし、もしも誰かに見せるなら、と考えてもいいです。

一つの物語のなかには、いろいろなシーンがありますが「海賊王になろうとする姿」「カルタで日本一になろうとする姿」「初恋の人に振り向いてもらおうとする姿」「大人にも負けない

アニメをつくろうとする姿」「一人前の魔法使いになろうとする姿」「クラスのみんなに受け入れてもらおうとする姿」などなど、**主人公の姿は、物語を通して一貫しています。表現技術では、これを「貫通《かんつう》行動」と呼びます。**主人公の貫通行動を、お客さんの視点も使いながら考えてみてください。

作家の腕を使おう

「△△しようとする姿」は、物語全体を通した主人公の姿を考える

お客さん側の視点を入れると、△△部分が考えやすくなる

「△△しようとする姿」を、表現技術では「貫通行動」と呼ぶ

作家の眼を使おう

日頃から、いろいろな作品に触れておこう。そしてその作品は、読者や視聴者に、主人公のなにをしようとする姿を見せているのか、考えてみよう

■「モチーフ」で、シンプル一行にインパクトを加える

「なるほど。『貫通行動』なんて考えたこともなかった……ほんと物語って『人』を描くってことなんだね」

「『貫通行動』は、言うなれば物語の背骨。大切だよ！」

Q1

先ほど考えた「天地人」に合わせて、シンプル一行にアイデアを加えましょう。

「えぇ～『いま現在、東京の渋谷を舞台に』したから……、

むかしむかし↓現在
桃太郎の村↓渋谷にある学校の中学二年のクラス
鬼たち↓こっそりいじめをしている奴ら

って感じになるかな。だとすると、
シンプル一行↓いま現在、東京の渋谷を舞台に、気が弱すぎる性格の桃太郎が、いじめっ子たちを退治しようとする姿を、お客さんが見る物語
舞台が渋谷だから、ちょっとギャルっぽい感じの子がいじめをしていて、そんな子を、ギャフンと言わせる話にしたい！

『2050年、月を舞台に』だと……、

むかしむかし↓未来、2050年くらい？
桃太郎の村↓月につくった人工の基地
鬼たち↓宇宙人か、その基地を自分たちのものにしようとする奴ら

って感じかな。そうすると、

シンプル一行↓2050年、月の人工基地を舞台に、気が弱すぎる性格の桃太郎が、宇宙人を退治しようとする姿を、お客さんが見る物語、なのかな」

「さすが！　さやっち。さやっちは気づいたかな？　桃太郎が鬼退治をしようとする『姿』は同じでも、桃太郎が退治しようとする『対象』に、新たなアイデアが加わったね」

Q2

いま考えた『シン・桃太郎』では、どんな風に退治しようとするでしょうか？

「えぇ～むずい！　いじめっ子はギャルっぽい子たちでファッションとかに敏感だろうから、桃太郎がいじめられている子を、すっごいお洒落《しゃれ》にして見返そうとするとか？

人工基地は……宇宙人を倒すためには特殊なロボットを操縦しなくちゃいけなくて、なぜか、戦闘経験もない桃太郎が選ばれし一人となって、四苦八苦しながらも宇宙人を倒そうとする、とか!?」

「いいねぇ～二つとも、全然違った物語になったね！　どちらの物語でも、気が弱すぎる桃太郎の性格も活かせそうだしね」

昔話『桃太郎』をもとに「天地人」を変えただけで、物語のアイデアが広がりました。すでに、同じ物語ですらありません。

渋谷を舞台にした『桃太郎』では「いじめっ子の退治」「お洒落で見返す」というアイデアがあり、月を舞台にした『桃太郎』では、「人工基地」「特殊なロボット」「選ばれし一人」といったアイデアがありました。

このように、**「その物語ならではのアイデア」を、表現技術では「モチーフ（題材）」といいます。モチーフが加わることで、物語の設定にインパクトが加わります。**

作家の**腕**を使おう

- シンプル一行に、「天地人」のアイデアをかけ合わせる
- 「その物語ならではのアイデア」を、モチーフ（題材）と呼ぶ
- モチーフが加わると、物語の設定にインパクトが生まれる

作家の**眼**を使おう

日頃から、自分が好きな作品の「天地人」と「モチーフ」にも、作家の眼を向けよう

■「テーマ」で、シンプル一行に方向性を加える

「モチーフの次は、『テーマ』？　作文とか小論文でも『テーマ』って言葉がでてくるけど、なんかむずかしい気がしちゃう」

「物語つくりに、『テーマ』は欠かせないし、いろんな文章でもテーマは必要になるよね。でもね、テーマって、それほどむずかしく考えなくて大丈夫なのよ」

物語をつくる上で、「テーマ」は欠かせません。**「テーマ」というのは、その物語を通して、作者であるみなさんが「お客さんに訴えたいこと」です。**しかし「訴えたいこと」というと、なんだか、むずかしい気がするものです。「そんなすごいこと考えてないし……」と戸惑ってしまったり。

まずはテーマの考え方について、みなさんに実感してもらいます。方法は簡単です。シンプル一行の「お客さんが見る物語」を「お客さんが□□だと感じる物語」に変えるだけです。

「主人公が△△しようとする姿」を見て、お客さんが□□だと感じる物語

Q1 「いま現在、東京の渋谷を舞台に、気が弱すぎる性格の桃太郎が、いじめっ子たちを退治しようとする姿を見て、お客さんが□□だと感じる話」の□□部分を、三つくらい考えてください。

「え、なんだろう。気が弱すぎる桃太郎がいじめっ子を退治するんだから、『勇気をだすことはすばらしい』とか。クラスのためなら『人のために頑張ることは大切だ』とか？『正しい行動をすることは重要だ』とか、そういうこと？」

「そう、そう。いい感じ。テーマを考える時は、それくらい単純に考えていいよ」

テーマは、なにかすごいことを考えなきゃいけないと思う必要はなく、「○○は、××だ」くらいシンプルでかまいません。なぜなら、物語のなかで人間を描けていれば、シンプルなテーマでも、お客さんの心には深いメッセージとして届くからです。

なぜ、テーマをシンプルに考える方がいいのか。テーマの役割がわかると、納得できるはずです。さきほどの三つのテーマごとに、渋谷を舞台にした『桃太郎』がどんな物語になりそうか考えてみましょう。

Q2 「『勇気をだすことはすばらしい』とお客さんが感じる物語」は、どんな内容になりそうでしょうか？

「えっと、勇気をだすことのすばらしさが最終的に伝わるわけだから、いじめられてもなにもできなかった気弱な桃太郎が、勇気を振り絞って、いじめっ子に向き合う物語じゃない？」

Q3 「『人のために頑張ることは大切だ』とお客さんが感じる物語」は、どんな内容になりそうでしょうか？

「う～ん……今度は、人のためにってしたから、いじめられっ子をどうにかして助けるために行動するって感じが強くなる気がするなぁ。あたしが考えたシンプル一行には、いちばんハマりそう」

Q4 「『正しい行動をすることは重要だ』とお客さんが感じる物語」は、どんな内容になりそうでしょうか？

「正しい行動をするのがポイントになるわけだから、いじめを見て見ぬふりしていた桃太郎が、自分の行動を反省していじめっ子に立ち向かうようになるのかな」

「どう？　テーマがシンプルだからこそ、物語の方向性が見えてくるでしょ！」

みなさんも、気づきましたか？　**設定するテーマによって、物語は変わります。そして、つくり手にとってのテーマの役割とは、物語の進む方向を示すことです。テーマをシンプルに考えることで、物語の方向性が定まるので、物語が書きやすくなります。**それでもテーマを考えるのが苦手という人は、どんな方向に進む物語にしたいかを考えてください。

ちなみに先ほどの三つのテーマで、どのテーマがすばらしいとかはありません。テーマを考える時も、主人公の姿が活きるかどうかが大切になります。テーマの伝え方については、四章で詳しくお伝えします。

作家の腕を使おう

物語を通して伝えたいことを、「テーマ」という

テーマは、シンプルに「○○は、××だ」で考える

テーマによって、物語の方向性が決まる

作家の眼を使おう

ニュースや身近な出来事、違和感があること、嬉しかったこと、悲しかったこと、全て物語のテーマになる可能性がある。日頃からいろいろなものに興味をもってミソ帳に書いておこう

2

「シンプル一行」にパンチを利かせる

■物語のなかに「社会課題」を入れる方法

「天地人、モチーフ、テーマを考えると、シンプル一行を中心にアイデアがあふれてくる！　ちょっとびっくり」

「そうでしょ。『どう考えるか』がわかれば『なにを考えるか』は、さやっち次第ってわけ。『マジカル・ミソ帳ツアー』に参加してよかったでしょ？」

物語の設定のつくり方の基本をお伝えしたので、みなさんの「作家の頭」をさらに刺激したいと思います。**一つは物語に「社会課題」を入れること。次に物語の「ジャンル」を考えることです。**

まずは、社会課題について。社会課題というと少しむずかしいと思うかもしれませんが、**社会課題とは自分だけではなく他の人も気になっている問題のことです。**

「物語がうまくつくれない」のは、個人的には大問題でも社会課題ではありません。社会課題は、気候変動や少子化、貧富の格差、人種問題や戦争など、社会全体に関係する問題です。社会課題を物語のなかに入れると、お客さんがその物語世界を身近に感じることができます。社会課題は、必ずしも物語に入れる必要はありませんが、社会課題の入れ方については知っておいてください。

Q1 あなたが気になっている、もしくはニュースなどを見て知っている社会課題を思いつくだけ、あげてください。

「やっぱり気候変動かな。それに食料問題。エネルギー問題。あと政治家の質にも絶望する。身近なところでいえば障害のある人とどう接するべきかとか、最近よく考えたりしたかな」

「そうだよね。将来のことだもんね。世界を牛耳っているつもりのおっさんたち、いい加減にしてほしいよね」

昔話『桃太郎』に社会課題として「気候変動」を入れたとします。たとえば「天地人」の「地」に気候変動の要素を入れたら、鬼たちが村を襲った理由が、気候変動で食べ物が育ちにくくなったから、などが考えられます。
「モチーフ」に社会課題の要素を入れるとしたら、たとえば水が貴重になった世界で、鬼たちに奪われた貴重な水を取り返すために鬼退治をするなどが考えられます。

Q2 「テーマ」に社会課題「気候変動」の要素を入れたら、物語の内容はどうなりそうですか？

「テーマかぁ……気候変動だし、『人間の身勝手さを止めるべきだ』とかかな。桃太郎の鬼退治は本当に正義なのかを感じさせるみたいな。『ともに生きる大切さ』もいいかも！　鬼と対立していたけど、ともに生きる道を探るようなクライマックスにするの。人間側の理屈を押し

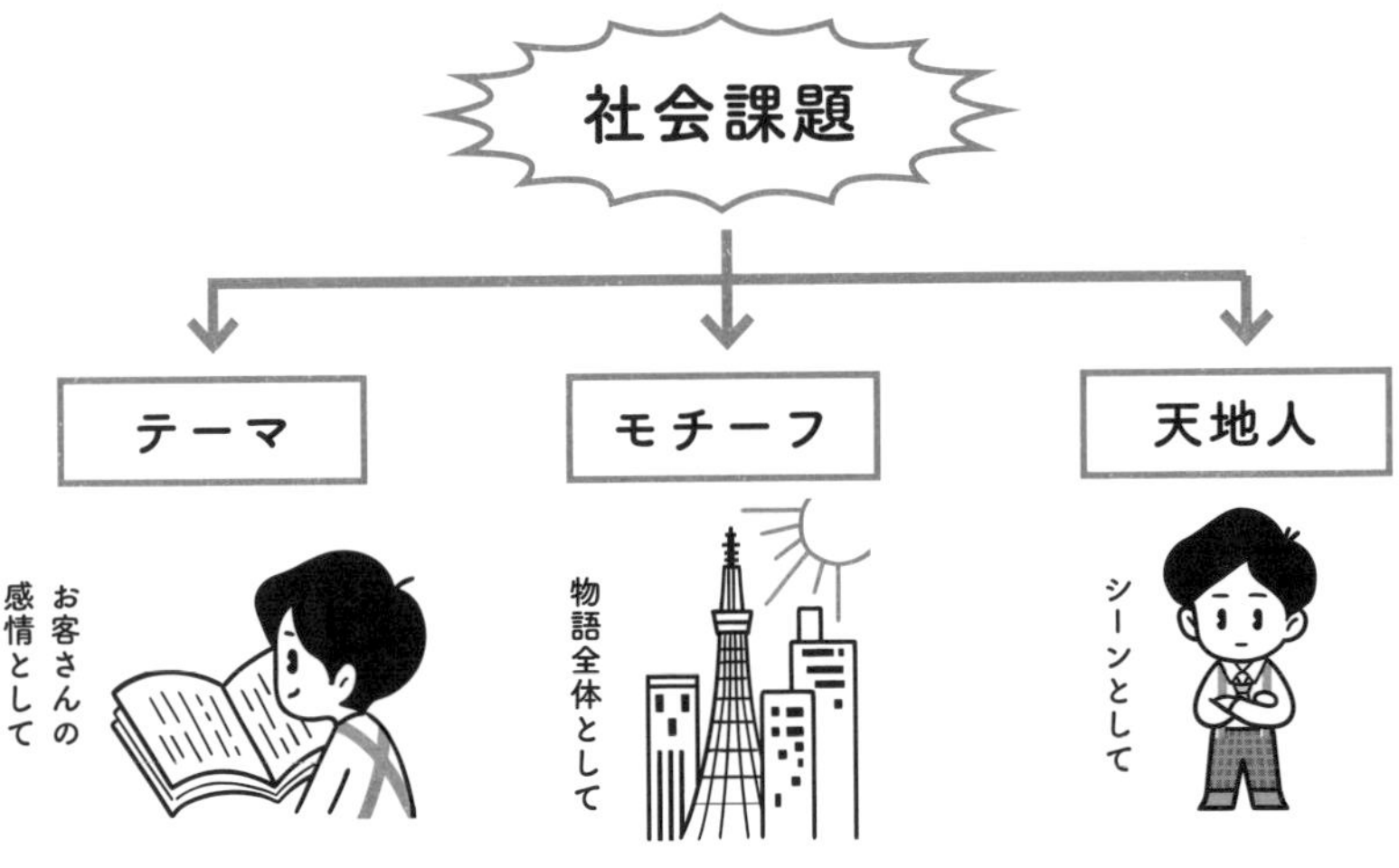

つけてはいけないと感じる物語にできるかも」

「おぉ〜いいねぇ〜。社会課題は『天地人』『モチーフ』『テーマ』のどこにでも入れられるよ」

社会課題の入れ方で、物語の描き方が変わります。「天地人」の場合は、物語のどこかのシーンで、社会課題を感じさせる描写が入ります。「モチーフ」の場合は、物語の全面に社会課題がでてきます。「テーマ」はお客さんに感じてもらうものなので、社会課題の要素が、物語を通して感じられるようになります。

社会課題をうまく入れ込むことで、物語自体に深みが生まれます。日頃思っていることを物語のなかにうまく入れ込めると、物語つくりがいままで以上に楽しくなりますよ。

作家の腕を使おう

社会課題とは、自分だけでなく他の人も気になっている問題

社会課題は、「天地人」「モチーフ」「テーマ」に入れられる

「天地人」「モチーフ」「テーマ」。どこに社会課題を入れるかで、物語の描き方が変わる

作家の眼を使おう

日頃から、いろいろな課題や話題に作家の眼を向けよう

相手の心に訴えるための伝え方を常に考えよう

■物語のジャンルも考えてみよう

「あ、そういえば、物語のジャンルについて全く考えてなかった」

「シンプル一行をつくっていく時に、『ジャンル』を意識するとさらにイメージがはっきりするよ」

物語には、いろいろなジャンルがあります。シンプル一行をつくったら、どのジャンルで書くとおもしろくなりそうか、あなた自身がどのジャンルで書きたいかを考えてみてください。

テーマが物語の進む方向を示してくれたように、物語のジャンルを決めることで物語の語り口が定まります。たとえば、昔話『桃太郎』を「コメディ」で描くとしたら、桃太郎が桃から恥ずかしそうに誕生するなど、シーンをコメディタッチに描きます。「青春もの」で描くとしたら、桃太郎が鬼退治の前に懸命《けんめい》に稽古をするシーンなどが考えられます。

「青春・学園もの」「恋愛・アクションもの」などジャンル同士をかけ合わせることもできます。主な物語のジャンルを一覧にしたので、参考にしてください。

主な物語のジャンル

ジャンル名	内容
「恋愛もの」	恋する姿を描く物語
「青春もの」	十代など、若者の姿を描く物語
「学園もの」	学園を舞台にした物語
「歴史もの」	実際の歴史をもとにした物語
「アクション」	アクションが見どころの物語
「コメディ」	コメディ要素が入った物語
「ホームドラマ」	家族の姿が中心の物語
「ＳＦ」	未来や宇宙が舞台の物語
「ファンタジー」	実在しない世界が舞台の物語
「異世界もの」	異世界が舞台の物語
「ホラー」	怖い現象が起きる物語
「サスペンス」	危機におちいった姿を描く物語
「ミステリー」	謎や不思議なことが中心の物語
「ハードボイルド」	信念のもとに行動する姿を描く物語
「ヒューマンドラマ」	人間味ある姿を描く物語

ジャンルによって、物語のイメージはだいぶ変わります。ジャンルを決めたら、そのジャンルから脱線しないようにしてください。コメディタッチで始まった物語が、物語の途中からホラーものになったら、お客さんはついていけません。あえてそういう物語にしたい場合は、物語の最初のほうで何気なくホラー要素を入れるなど、お客さんを混乱させない工夫が必要です。「たかがジャンルじゃないか」と思わず、ジャンルについても描きたい物語に合わせて「作家の頭」を使ってください。シンプル一行のイメージを膨らます手段として、ジャンルから考えることもできますよ。

作家の**腕**を使おう

物語のジャンルも考えてみる

選ぶジャンルによって、物語のテイストが変わる

ジャンルを決めたら、物語のなかで他のジャンルに脱線しないようにする

作家の**眼**を使おう

どういう物語に、どんなジャンルが相応しいのか、日頃からいろいろな作品を見ておこう

エピソード　自分をあきらめたくないから

最悪で、最高の放課後

「すみませんでした！」

あたしはリザブーに頭を下げる。声が大きすぎて、リザブーも他の先生方も驚いている。

授業をサボったら怒られて当然。よりによって、顧問のリザブーの授業だったとは。でも、そんなこと、正直ホントに、どうでもいい！　あたしは、頭を下げながらミソ帳をぎゅっと抱きしめる。

職員室をでると、ミソ帳を開けてみる。あたしはアイデアたちを、思わず指でなぞる。

「そっか……**『人』なんだね、物語の中心は**」

あたしは、運動部が集まりだしたグラウンドを見ながら、大きく息をはく。

小早川はまだ学校に残っているだろうか？　だいたいあいつは部活に入っているんだっけ？　あたしは、小早川に一ミリも興味がないことを再認識する。

でも、いまは違う。あいつに話したいことがある。午後に起こった、ミソ帳にまつわる不思議な出来事について。小早川は知っていたのだろうか？　ミソ帳を使えば、あたしの悩みが晴れるって。悔しいけれど、お陰で「世界定め」もバッチリだ！　あたしは、あたしにワクワクしている。こんな気持ち、いつ以来だろう。

ミソ帳を持ったまま、なんとなくイチョウの木の方へ向かう。ちょうど猫背で歩いている小早川が目に入る。

小早川はあたしを見ると、「よっ」と手を上げて、ヘラヘラしながらやってくる。そのましげしげと、あたしの顔をのぞき込む。

「ふ〜ん」

「な、なによ」

「大田垣さやか、お前、かずちゃんに会えたんだな」

「は？」

「そういう顔してる。わかるよ。修二もそうだった。おれだってそう」

ミソ帳を持つ手に、力が入る。

「もしかして、あの汚い字。あんたの字？」

へへっと小早川が照れくさそうに笑う。

「修二って、もしかして、あのきれいな字は真嶋くんなの？」

「そっ」

あたしは、カーッと身体が熱くなるのを感じる。だって、不覚にもおもしろいと思ってしまったから。そして、急に笑えてきた。

「アハハハハハッ」

「なんだよ」

小早川が怒ったようにあたしを見る。その顔を見て、あたしの笑いは止まらなくなる。

「ちょ、ちょっと勘弁してよ。あ、あんたはなんかわかるけど、真面目な真嶋くんが、あんなこと考えるの？」

「そっ、すごいだろ!?」

二人して笑いが止まらない。お腹が、痛い。

「あのさぁ、大田垣さやか」

小早川が、急に改まった声で言う。

「誤解させて、ごめん」

ぺこりと、頭を下げる。

「おれはさ、マジで大田垣さやかをすごいと思ったんだ。発表会の拍手だって、本当にすごいと思ったからだし」

うつむきがちな小早川の表情は、あたしからはよく見えない。

「なにより、人前で自分の作品を発表するってすごいよ。おれには、絶対にできない」

あたしは軽くせき払いをする。

「あのね、あたしだって、発表するって怖いの。そう。死ぬほど怖い。バカにされてるのも知っているし、自分が全然ダメなのも知ってる」

顔を上げた小早川が、なにか言おうとする。

あたしは目で制して、つづける。

「**でもね、書きたいの。やっぱり好きなの。**ダメでも、バカにされても、発表したいの。だってあきらめたくないもん、自分のこと」

小早川は、またうつむいて、うんうんとうなずく。

誰にも言ったことがない、あたしの気持ち。

なんで、小早川なんかに言ってるんだろう。

ほんと、小早川には腹が立つ。

「それに、あんただって、もう人に見せてんじゃん」

小早川が、顔を上げる。

「少なくとも真嶋くんとあたしに。あ、かずちゃんにもか」

小早川が照れくさそうに笑う。あたしまで照れくさくなる。

「あれ、ひーちゃんと……大田垣さん？」

これから部活がはじまるらしい真嶋くんが、真面目な顔をして「授業、どうしちゃったの？」と話しかけてくる。

ダメだ……笑いがこみ上げてくる。そんなあたしを見て、小早川が笑いだす。

「なに？　二人とも？　なに？」

真嶋くん、お願いだから真面目な顔でこっちを見ないで！

「大田垣さやか、こちらが真嶋修二こと、マーシーです」

こらえきれずに笑いだすあたし。ヘラヘラする小早川。「なに？　なに？」を繰り返す真嶋くん。ホントもう、なんなの、これ。

「そうだ！　小早川、真嶋くん。あんたたち、ちょっとつき合いなさいよ」

二人が、顔を見合わせる。

「あんたたち二人は私の悩みを知っている。しかも、かずちゃんと一緒に『マジカル・ミソ帳ツアー』にも行ってるわけ」

「だから？」

「だから、よ！　あんたたちだけツアーを途中で抜けるんじゃないわよ。私と一緒に物語をつくるの！　ほら」

小早川にミソ帳を渡す。

「なっ。か、勝手に決めんなよ！」

「はぁ？　あんたたちだって、物語つくりたいんでしょ？」

あたしは二人の顔をじっと見る。真嶋くんがうなずく。

「ひーちゃん、昔みたいで楽しそうじゃん！」

小早川が、真嶋くんとあたしの顔を交互に見る。小早川のたじろぐ顔に、笑いそうになる。

「わ、わかったよ！　でも絶対に、絶対に演劇部の奴らに言うなよ！」

あたしは小早川の言葉を受け流して、部室に向かって歩きだす。足取りが軽やかって、こういう時に使うのだろうか。あたしはなぜかちょっと、ワクワクしている。

「なぁ大田垣さやか」

振り返ると小早川が、真面目な顔をして、あごのあたりを人差し指でトントンと叩いている。

「なによ？」

「ひーちゃん、もしかして!?」

「おれ、いいこと思いついちゃった！」

小早川はヘラヘラ笑いながら、真嶋くんの肩に腕を回す。

「天才小早川光が帰ってきたぜ、マーシー」

真嶋くんが、嬉しそうに笑う。

あたしはなぜだか、小早川のアイデアがあたしの期待を１０００％うわまわることを、一ミクロンも疑わない。

ミソ帳memo

「主人公が△△しようとする姿」

天

地

人
人物関係

性格の
～すぎる

アクション
リアクション

テーマ

モチーフ

シンプル一行に、物語設定のアイデアが加わって、描きたい物語のイメージがはっきりしてきたでしょ！

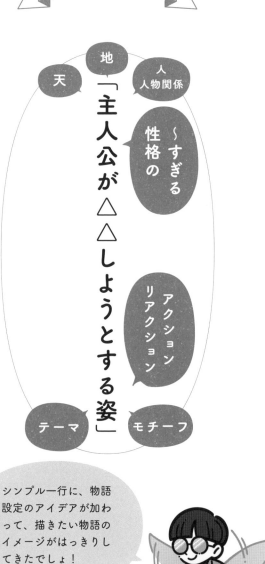

第4章

主人公には
坂道を歩かせよ!

構成の立て方

エピソード

村田理三郎の場合

■でがらしのコーヒーがにじむ

誰もいない職員室。私は立ち上がって、コーヒーを淹れに行く。二十二時を過ぎているのだから、他の先生方は帰宅していて当然だ。静かな職員室に、お湯を注ぐ音だけが響く。

教師になって、十年と178日。生徒たちから見たら、三十四歳の私なんかもう立派なおじさんだ。最近になってでてきた腹をさする。毎日生徒たちと接していると、自分がずいぶん年寄りのように感じる。可能性の塊のような生徒たちが、うらめしいと思うことさえ、ある。

大田垣だってそうだ。昼休みには明らかに私の発言に失望していた。その上、授業までサボって……それなのに下校間際には新たな企画書を持って来た。その発想力、行動力、なによりほとばしる創作意欲！　私が失ってしまった全てのものを持っている。私だって二十七、八歳までは、人の人生に影響を与えるような小説が書けると思っていたのに……。

ゴミ箱に捨てたドリップコーヒーのフィルターのすきまから、でがらしのコーヒーがにじんでいく。

「目を通しておくか」

大田垣から渡された新しい企画書は、「ミソ帳」と書かれたノートに挟み込まれている。大田垣が妙にウキウキしていたからか、ノートもまぶしく感じたほどだ。企画書を手に取ろうとノートに触れると、

「いたっ」

静電気のようなものが指先をつたう。

大田垣の新しい企画書は、いままでの内容とは明らかに違う。どこが、というとむずかしいけれど、設定を変にいじったわけでもないのに斬新。けれど馴染みもある。そもそも、そう。おもしろい！

「大田垣、すごいな……」

私は、しげしげと大田垣の企画書を見つめる。

「そう、さやっちはすごいのよ。村田氏」

「えっ」

人の声に驚いて、職員室を見回す。もう誰もいないはず。首筋がゾクッとする。幽霊のような不合理なことは信じてはいない。信じてはいないが、恐る恐る振り返る。

「そっちじゃなくて～、こっち、こっち」

大田垣から渡されたノートの上に、小さなおじさんがムンクの『叫び』のような顔をして立っている。

なんだ、小さなおじさんか。驚かせないでくれ……。

「うわっ！」

大声とともに、椅子から立ち上がる。自分は、自分の、自分が、自分に、じ、じ、じ、な、なな、なにが見えているのか!?

私が口をパクパクさせていると、小さなおじさんが話しだす。

「どうも、みんなの妖精かずちゃんです！　あ、あれ、そんなに驚く？　もしかして、さやっちから聞いてないの？　村田氏は」

「な、なにも聞いてない。聞いてないというか、その、合理的にあり得ないというか」

「まぁいいや。大人は飲み込みが悪いから。いっそ説明なし！　Don't think. Feeeeel！」

かずちゃんと名乗ったおじさんは、ブルース・リーの真似をして説明をはぐらかす。確かにどんな説明をされても、理解できっこない。

■私がなにも言わない合理的な理由

かずちゃんさんが、座るようにうながす。私はへっぴり腰になりながら、座り直す。かずちゃんさんは、ミソ帳の真ん中に腕を組んであぐらをかく。

「まずね、村田氏。さやっちに、ひどくないかい？　さやっちは考えては書いて、書いては消して……一生懸命だったじゃぁ、ないですかぁ～」

小さいハンカチを噛みしめながら、芝居がかった訴え方をしてくる。めんどくさそうな人だ。ん？　人なのか？

「お、大田垣については、申しわけないと思います。でも数学教師の私なんかになにが言えますか……」

「『数学教師の私なんか』ねぇ。なんで、そう思うわけ？」

「いや、数学には正解がありますよね。**でも、創作は違う。正解も不正解もない。**私が正解だと思っても、作品にとって正解とは限らないですよね。それに……」

かずちゃんさんのメガネの奥が、ギラリと光った気がした。

「それに、必死にもがいている大田垣に、私なんかが言葉をかけることに、合理的な正当性を見つけられません」

かずちゃんさんは、ゴホンッと咳払いをして立ち上がる。

「村田氏、確かに創作には正解も不正解もない。ただ物語には、『なにを書くか』と『どう書くか』の二つの面があるわけ。『なにを書くか』については、さやっちのなかにあるものだから、教師といえども土足で踏み込んではいけません。あ、この点については、村田氏は口だししてないからとってもえらい！」

「は、はぁ」

「でもね。でも、でも、でも！　**『どう書くか』は技術。感覚に頼らずに、アドバイスができるわけ。**しかも村田氏！　構成はロジック。むしろ、数学に近い!!　だから村田氏は、『数学教師の私なんか』とか言って、甘ったれてちゃダメなの！」

「えっ!?　あ、いや、甘ったれてなど」

「いいえ、甘ったれです。甘三郎です。なのでさっき、思わずピリッとやっちゃいました」

「はぁ……」

「それに！」

かずちゃんさんは、私の胸のあたりをビシッと指さす。

「『どう書くか』がわかると、『なにを書くか』のアイデアもでてくるわけ。つまりね……」

そう言ってかずちゃんさんは、両手を大きくひろげながら、天を見上げる。

「村田氏にもさやっちにも、『アイデアの雨が降るゾォ〜』」

どうやら、プロレスラーのものまねらしい。

「あ、あの……私はべつにアイデアなんて」

「なに言ってんのよ。小説、書きたいんでしょ!?　甘ったれの村田氏、行くよ！　いざ『登場人物を変化させる島』へ！」

私の動揺をよそに、かずちゃんさんは勢いよくミソ帳をめくる。

1 物語の全体像を知ろう

■構成はなんのためにあるのか？

「『構成はロジックで、数学に近い』と言われても……私なんかに、わかりっこないですよ」

「『マジカル・ミソ帳ツアー』に来たからには、『私なんか』って、言わないの。構成って、そんなにむずかしくないから。ここ『登場人物を変化させる島』で楽しさを知ってほしいのだよ」

「構成」というだけで、苦手意識を持つ人は多いようです。おそらくそのいちばんの原因は「複雑な感じ」ではないでしょうか。その結果、構成を自分の物語でどう使えばいいのかわからず、「物語の組み立てってむずかしい」と思い込んでしまいます。

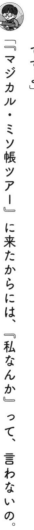

そもそも物語というのは、主人公の人生のある期間を描くものです。その期間のなかで、主人公は変化・成長しようとする姿を見せます。期間というのは、三日のこともあれば、一週間のこともあれば、半年、一年、二年、一生とさまざまです。

物語の構成について、ものすごくシンプルに言うと、**主人公の考え方や主人公を取り巻く状況が、物語の「はじめ」と「おわり」で、なにかしらの変化・成長があればいいのです。**そして変化・成長しようとする主人公の姿を、物語の「なか」で描けばいい。それだけです。

・物語の組み立てがうまくいかない
・浮かんだアイデアを、物語にうまく入れられない
・物語の盛り上がりがうまくつくれない
・長い物語のつくり方がわからない

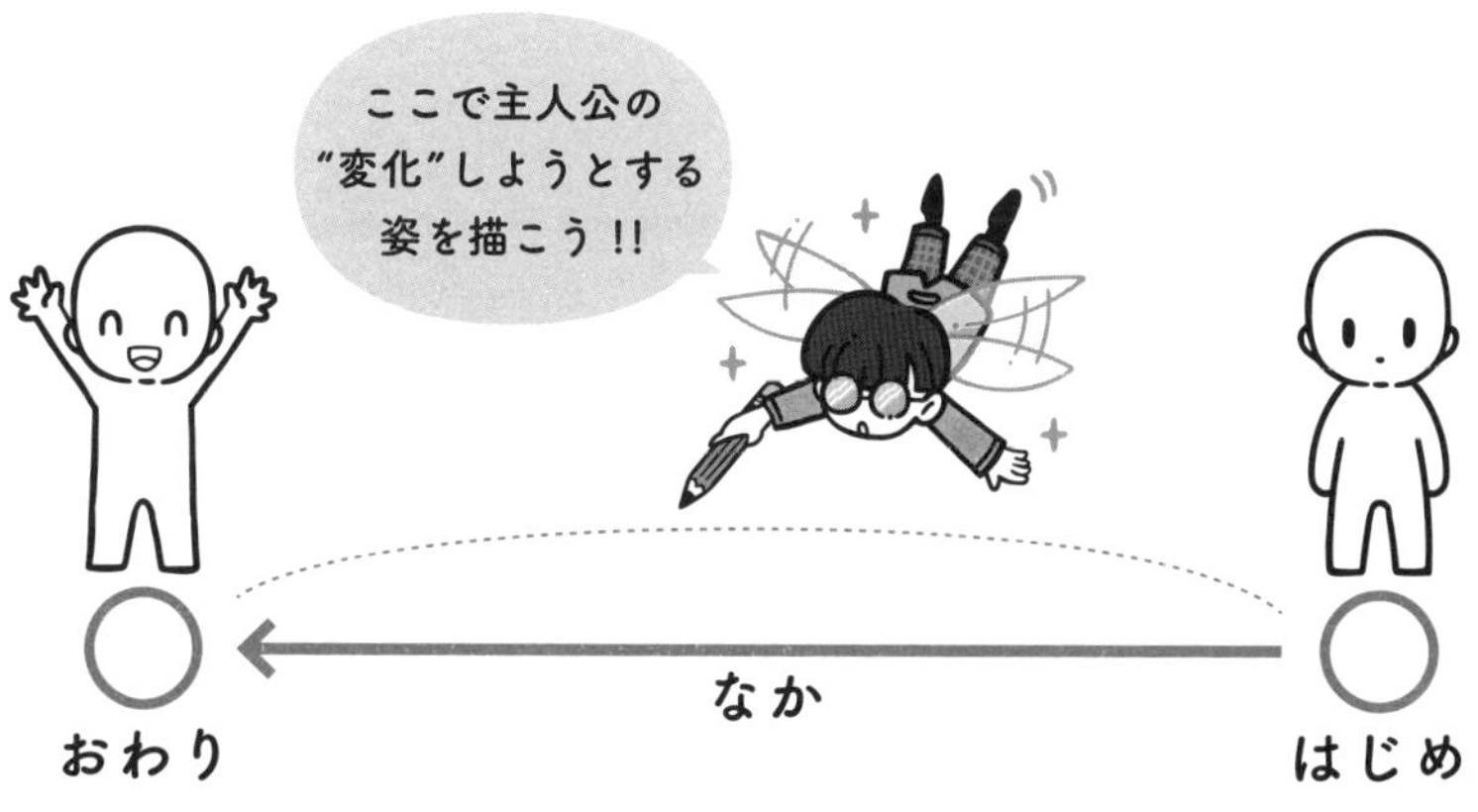
ここで主人公の
“変化”しようとする
姿を描こう!!
はじめ
なか
おわり

みなさんが抱えている問題の原因は、物語の「はじめ」「なか」「おわり」のどこかにあります。それを、構成が解決してくれます。構成を理解するほど、自由にアイデアを考えられます。**構成は、みなさんのアイデアをしばるのではなく、みなさんのアイデアに自由を与えてくれるものです。**シンプル一行の「主人公が△△しようとする姿」に、主人公を変化・成長させる、あなたのアイデアが加わりますよ！

『登場人物を変化させる島』はこれまでのツアーの総まとめのような場所です。構成を使いこなして、楽しく物語を書き進めましょう！

■物語の長さを決めよう

「『登場人物を変化させる島』か……さっそくお願いします！」

「気が早いな、村田氏は。まずは意外と考えてなかったりする物語の長さについて。物語の長さって、構成を考える上ですっごい大切なのよ」

物語つくりは楽しいので、いきなり書きはじめて、どんどん書いて、気づけばどう終わるのかわからなくなってしまうことがあります。物語全体の長さを想定していないと、気づいたら「はじめ」が異常に長かったとか、いちばん盛り上がるはずの「おわり」が全然書けなかった、なんてことにもなります。そのため、物語としてどのくらいの長さで描くかはある程度考えておきましょう。商業的な作品の枚数の目安です。参考にしてみてください。

小説であれば、

・ショートショート＝４００字詰め原稿用紙　２～20枚
・短編＝４００字詰め原稿用紙　20～80枚
・中編＝４００字詰め原稿用紙　80～２００枚
・長編＝４００字詰め原稿用紙　２００枚以上

シナリオであれば、

・30分もの＝４００字詰め原稿用紙　30枚程度
・１時間もの＝４００字詰め原稿用紙　50～60枚程度
・２時間もの＝４００字詰め原稿用紙　１００～１１５枚程度

作家の腕を使おう

これから書く作品の長さも考えておく

長さを意識すると、物語のバランスを調整できる

作家の眼を使おう

どれくらいの長さがあれば、書きたいことが書けそうか、日頃から枚数の感覚も養っておこう

■「はじめ」「なか」「おわり」と起承転結の「機能」

「言われてみれば、長さって意識せずに書いてしまうかも……。『はじめ』『なか』『おわり』も大切なんですか？」

「そう。あまりにも当たり前すぎて、みんな気にしないんだけど、『はじめ』『なか』『おわり』には、それぞれ『ねらい』があるんだよね」

物語とは、主人公の変化・成長を描くことで、作者の伝えたい「テーマ」をお客さんの心に訴えるものです。物語の「はじめ」「なか」「おわり」には、そのための「ねらい」があります。

「はじめ」のねらいは、「この主人公でこの設定！　おもしろそう」とお客さんを物語の世界

に引き込むことです。

「なか」のねらいは、「この主人公、この先どうするんだ!?」とお客さんを夢中にさせることです。お客さんを「感情移入」させます。

「おわり」のねらいは、主人公の変化・成長を描くことで、物語の魅力をお客さんの心に訴えることです。

「はじめ」「なか」「おわり」のねらいが達成できれば、物語そのものがおもしろくなります。

「構成」は、これらの「ねらい」を達成するための表現技術です。みなさんが読んだり観たりする物語は、まるでマラソンのように、物語が切れ目なく進んでいるように感じるかもしれません。ですが、**マラソンに給水ポイントがあるように、物語にも構成のポイントがあります。これを表現技術では、構成の「機能」といいます。**

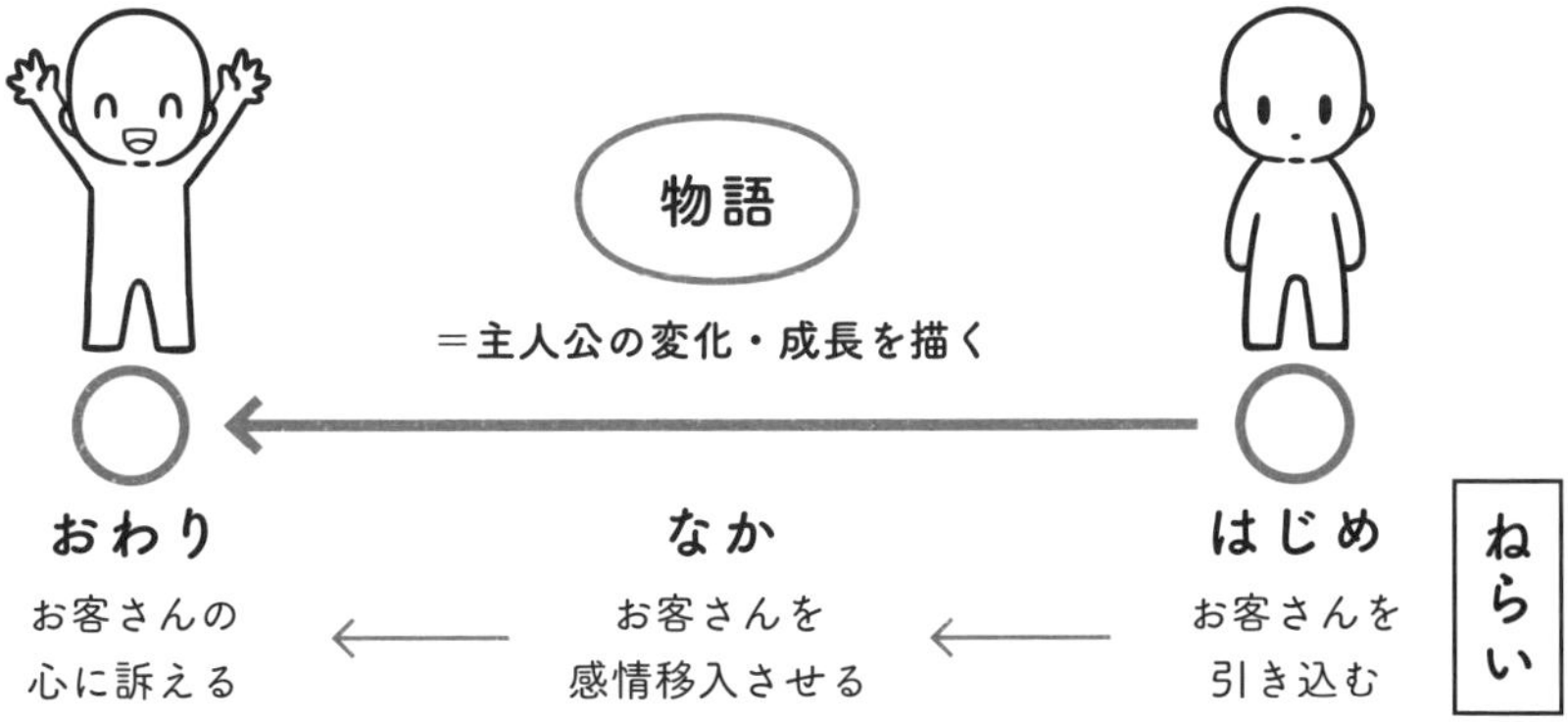

構成にはいくつかの種類がありますが、このツアーでは「起承転結」で説明します。「起承転結」は、物語の長さ、ジャンルにかかわらず使えるので使い勝手がいいですし、起承転結の「機能」を押さえれば、アイデアのだし方もわかってくるからです。「構成が苦手」「起承転結ってなんかよくわからない」と思っていた人も、「機能」まで押さえれば、そんな悩みも吹き飛びます。

起承転結のそれぞれの割合について

「起」一割から、長くて二割。「承」七割から八割。「転」「結」合わせて、一割から二割。

起承転結「起」の機能

物語の「はじめ」のねらいである「お客さんを物語の世界に引き込む」ために、「起」では、大きく三つの機能があります。

一つ目は、三章の物語の設定でやった**天（時代）、地（舞台となる場所）、人（登場人物）の紹介**。ここが伝わらないと、お客さんが物語の世界に入り込めません。「人」の紹介では、主人公のキャラクターと主人公と他の登場人物との関係性も紹介します。

二つ目は**「アンチテーゼ」を伝えること**。「アンチテーゼ」は、「転」でお客さんに訴える「テーマ」と反対になるような、主人公の考え方や主人公が置かれている状況のことです。後ほど、詳しく説明します。

三つ目は、**主人公の「目的」を伝えること**。「起」もしくは遅くとも「承」の序盤で、主人公がなんのために行動するのかをお客さんに伝えます。

起承転結「承」の機能

物語の「なか」のねらいである「お客さんを感情移入させる」ために、物語を盛り上げるのが「承」です。物語全体の長短は「承」の長さによって変わります。「承」の機能は、**主人公に「障害」をぶつけて、こまらせることです**。主人公のこまっている姿を見ることで、お客さんは「どうなるのだろう？」「どうするのだろう？」と先が気になります。

起承転結「転」の機能

物語の「おわり」のねらいである「お客さんの心に訴える」ために、物語をいちばん盛り上げるのが「転」です。「転」の機能は、**「テーマを訴える」こと**。テーマは、お客さんの頭ではなく、心に向けて訴えます。そうすることで作者がテーマをシンプルに考えても、お客さんに深いテーマが届きます。

起承転結「結」の機能

物語の「おわり」のねらいである「お客さんの心に訴える」ために、「転」で盛り上がった物語を印象的に終わらせるのが「結」です。「結」の機能は、**お客さんの心に物語の「テーマを定着」させること**。「結」の終わり方がいいと、お客さんの心に残る物語になります。

一点、注意があります。四コママンガでは

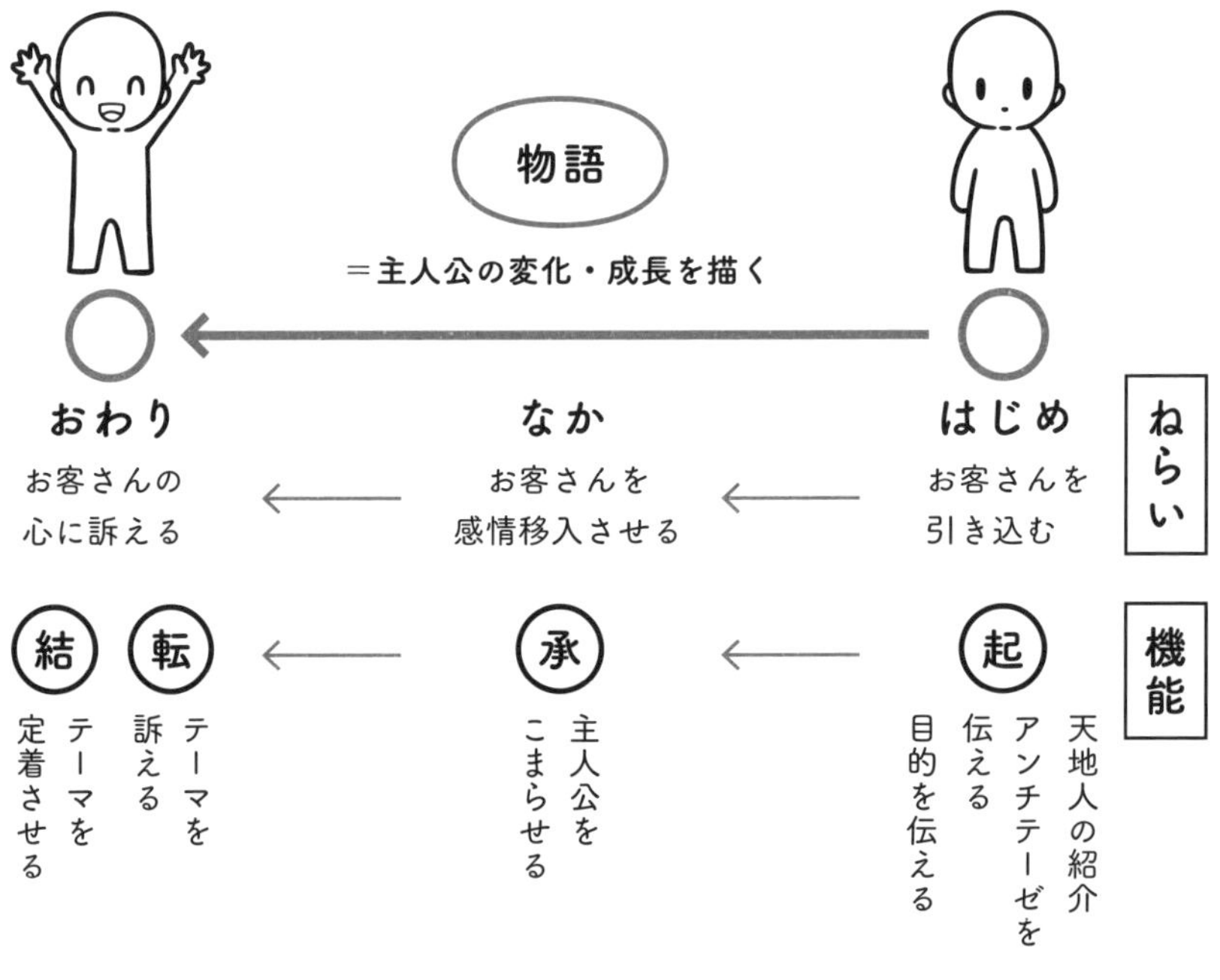

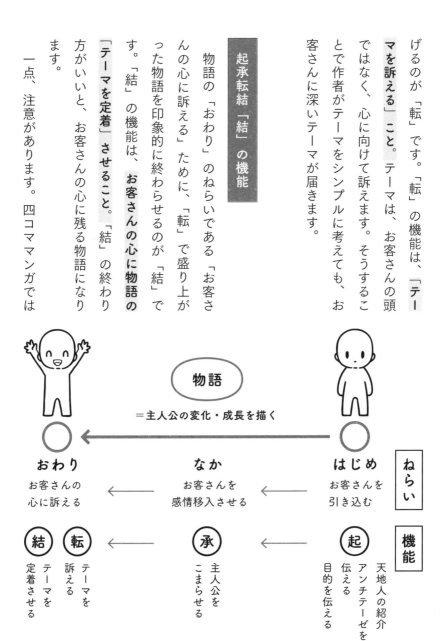

四コマ目がオチなので、起承転結の「結」をオチだと勘違いしている人がいます。しかし、物語の「結」の機能はオチをつけることではないので、注意してください。

構成はやっぱりむずかしい気がするという人は、シンプル一行に「〜にこまりながらも」を加えてみましょう。こうすることで、考えるべきことがはっきりしますよ。

「主人公が〜にこまりながらも、△△しようとする姿」

作家の腕を使おう

物語の「はじめ」「なか」「おわり」には、それぞれ「ねらい」がある

「起」「承」「転」「結」それぞれに「機能」がある

起承転結の「機能」がわかると、アイデアも湧いてくる

作家の眼を使おう

自分が書きたい物語をお客さんも一緒に楽しめる物語にするために、書きたいことを曲げるのではなく、「どう書くか」という表現技術に作家の眼を向けよう

2

主人公の変化が生まれる坂道をつくろう

■「起」と「転」で坂道をつくる

「起承転結の機能については、わかりました。でもやっぱり実際の物語つくりで、どう使えばいいのか、イメージが湧きません」

「村田氏は、正直者だね。秋の夜は長い！　じっくりやっていこう。構成の真髄《しんずい》は『ドラマとは、変化である』by 新井一だよ」

大切なので繰り返しますが、**物語というのは、主人公の変化・成長しようとする姿を描くものです。構成とは、主人公の変化・成長しようとする期間を、お客さんがおもしろいと感じるように描くための手段です。**ここから、主人公を変化させる道のりのつくり方をお伝えします。

そもそも「おもしろい」とは、どういうことでしょうか。すぐに思いつくのは、笑えるとか、ウケるとかです。ですが、物語のおもしろさというのは、それだけではありません。みなさん、自分が大好きな作品を思いだしてください。その物語は、きっと主人公から目が離せなかったのではないでしょうか。そして、思わず泣いてしまったり、笑ってしまったり、ちょっと複雑な気持ちになったり、爽やかな気持ちになったりしたはずです。**その気持ちは、全て主人公の変化から生まれていたのです。**

まずは主人公が変化する道をつくっていきましょう。昔話『桃太郎』を使っていきます。まず「桃太郎が鬼退治をしようとする姿」という物語のストーリーがあります。図のような、一本の矢

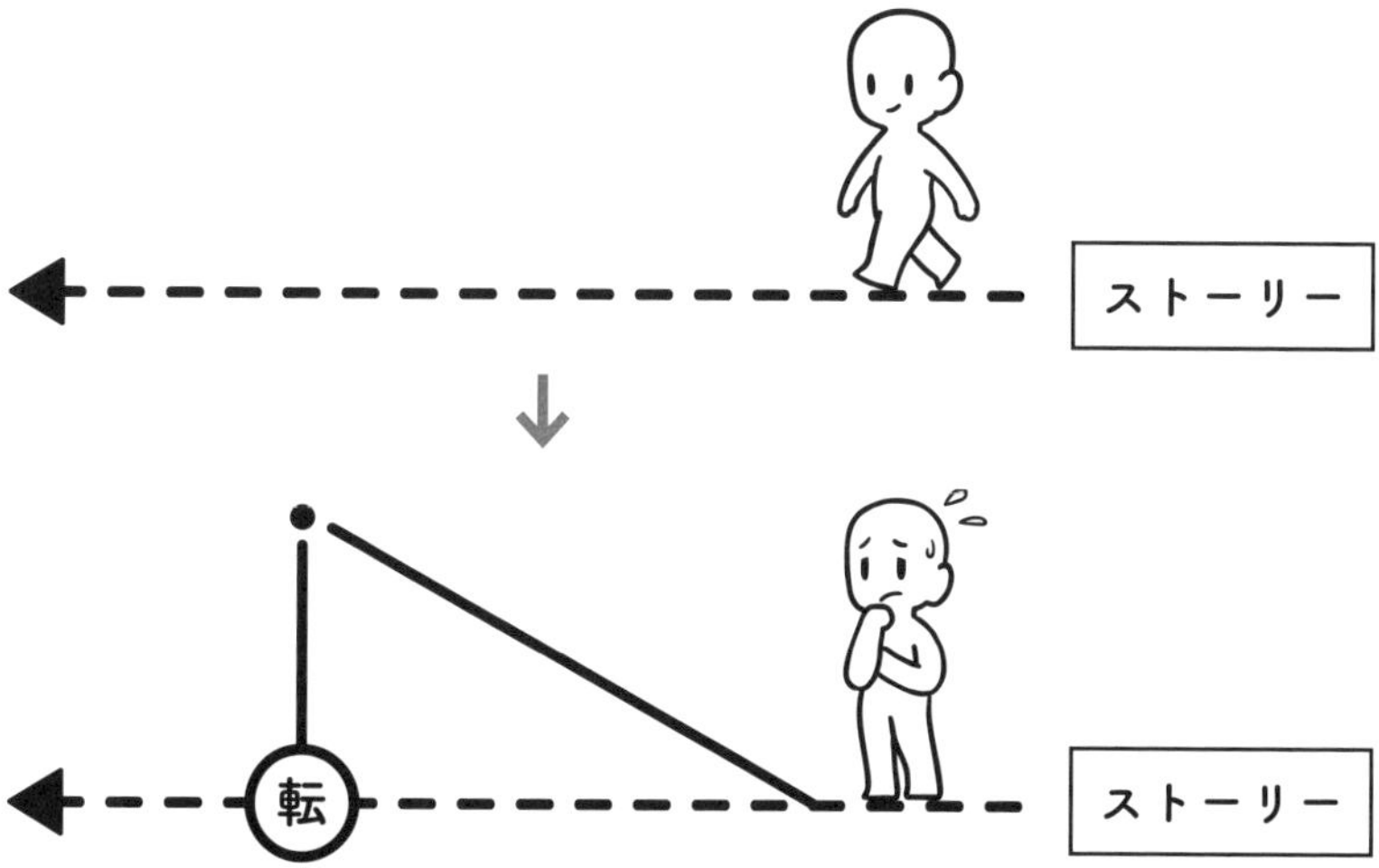

印をイメージしてください。ここを桃太郎が歩いていきます。

　このままでは、主人公はスイスイと歩けてしまいます。そこで、起承転結の機能を使って、主人公が歩く道を、坂道にします。

「転」が坂道の頂上になるように、「転」で起きるドラマをグイッと持ち上げます。表現技術では「クライマックス」と呼びます。昔話『桃太郎』なら「鬼を倒す」部分です。クライマックスが盛り上がることで、お客さんにテーマを説明せずに訴えることができます。

Q1 

昔話『桃太郎』をもとに、訴えたいテーマを考えてみてください。

「なんとなく、力を合わせてってイメージがあるので、『仲間を信頼する大切さ』とかですかね」

Q2 

では、どんなクライマックスになりそうでしょうか？

「鬼を倒すために、桃太郎と仲間たちが力を合わせるって感じですよね」

Q3 クライマックスで、「仲間と力を合わせる」ことをいちばん盛り上げるとしたら、どうすればいいでしょうか？

「えっと、鬼を退治する直前まで、桃太郎たちの気持ちがまとまらないって感じですかね」

「ほら、いい感じじゃない！　仲間と力を合わせなきゃいけないのに、なかなかそれができないことで、『転』のドラマ部分が持ち上がるよね」

この段階では、「転」は進む方向が大体わかるくらいの大まかなイメージで大丈夫です。**「転」を考える時は、クライマックスのシーンから考えてもいいですし、訴えたいテーマからクライマックスのイメージを広げてもいいです。**やりやすい方法で取り組んでください。

次に「起」の機能を使って、坂道の角度をさらにきつくします。「起」の機能は、天地人の紹介でした。主人公を物語の世界に投入するのが、「起」になります。主人公を投入する「起」をぐいっと下げるイメージです。こうすることで、主人公が歩く道がきつい坂道になります。

昔話『桃太郎』であれば、「転」のクライマックスが「鬼を倒す」ことなので、**「起」では鬼**

を倒すことがむずかしい状況に桃太郎を投入します。お客さんが「この桃太郎で、大丈夫か？」と気になるようにします。

Q4 「転」までの道のりがむずかしくなる「起」を考えてみましょう。

「『天』は、むかしむかしだとして、『地』は若者が少ない老人ばかりの村とかでしょうか。そうすることで、桃太郎がやらざるを得ないし、桃太郎が頼りにできるような若者がいないという状況がつくれますよね」

Q5 「転」までの道のりがむずかしくなる「人」を考えてみましょう。昔話『桃太郎』なので、桃太郎の性格は「勇敢すぎる」とします。

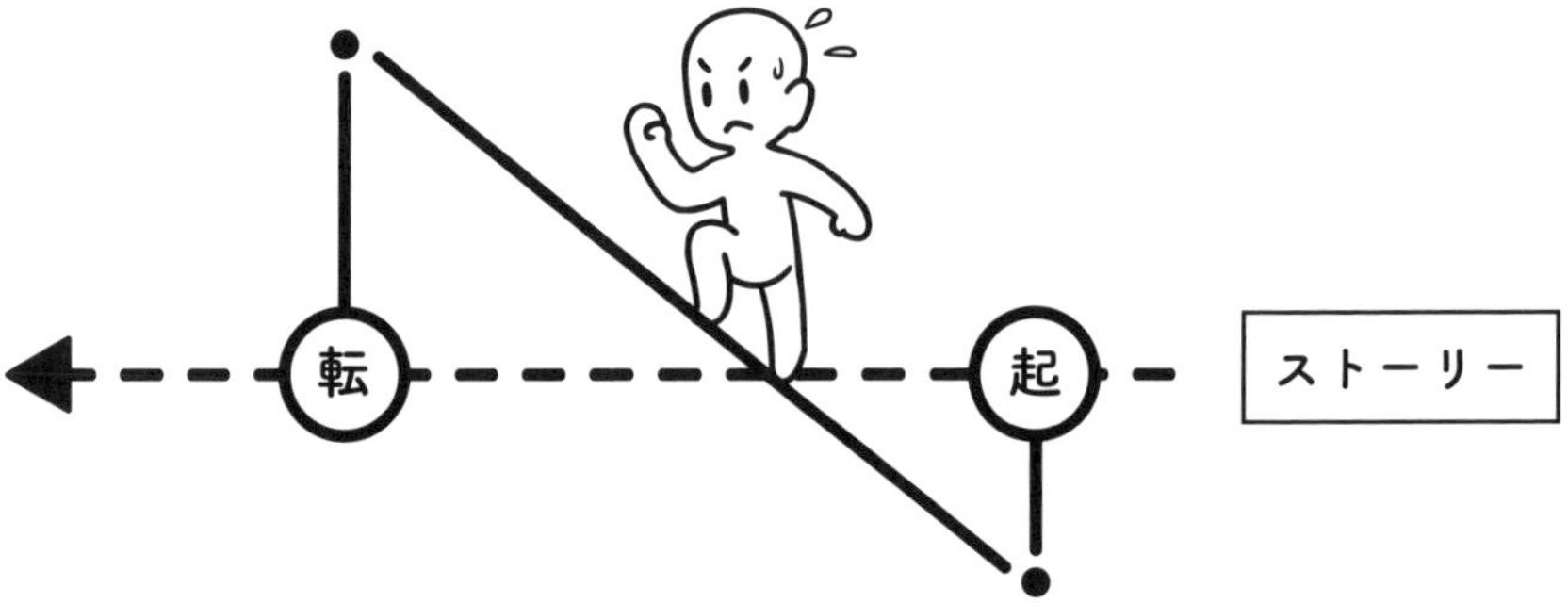

「『転』が『仲間と力を合わせる』になるから、桃太郎は『おじいさんとおばあさんに、他人を信用しすぎてはダメ』と育てられたというのはどうでしょうか。
あとは勇敢すぎる性格の桃太郎だから、憧れ性として『一人で行動することができる』けど、共通性として『独りよがりになりがち』という風に膨らませたらどうでしょうか？　仲間とうまくやれない上に、仲間にも頼れない桃太郎になりそうです。
あ！　サル、イヌ、キジは、そんな桃太郎とぶつかりやすいキャラクターにしたらいいのか！」

「おぉ～さすがだね！　キャラクター設定と人物関係まで使って、アンチテーゼができあがったね」

こうすることで、「転」と「起」に落差が生まれます。この落差があるからこそ、「ドラマとは、変化である」を主人公が体現してくれます。

「転」と「起」の落差は、あなたが描きたい物語のジャンルによって異なります。日常を描くようなヒューマンドラマであれば、「自分の幸せに気づいていない」主人公が、「身の周りにある幸せに気づく」ような変化もあります。落差の度合いは、物語のジャンルやテイストに合わせて調整してください。

坂道の角度をつくる「転」と「起」は、ワンセットで考えていくと物語の変化のイメージがつくりやすくなります。「転」と「起」は、どちらから考えても問題ありません。やりやすい方法を見つけてください。

作家の腕を使おう

「転」で、テーマが訴えられそうなクライマックスを考える

「転」のテーマに対して、アンチテーゼとなる「起」をつくる

「転」と「起」の落差ができると、主人公が変化する坂道ができる

作家の眼を使おう

自分がなにかをしたいと思ったら、必ずアンチテーゼ（反対の状況）が生まれる。行動を起こそうとすると、どんなアンチテーゼが生まれるか、日頃から意識してみよう

■主人公に、坂道を登る「目的」を持たせる

「うっ、坂道は確かにできたけど、私ならこんな坂道は登りませんよ」

「そう、ふつう登りたくない。でも、『おわり』で変化してもらうには、主人公には登ってもらわないとダメなわけ。だから考えたいのが、主人公の『目的』！」

「起」の機能の一つに、主人公に「目的」を持たせるとあります。坂道を登ってもらうためのエンジンです。**主人公に「目的」を持たせることで「△△しようとする」という主人公の貫通行動が生まれます。**

「目的」を考える練習をしましょう。まずは、主人公のキャラクターなどは考えずに、「鬼を退治しようとする」としたら、どんな「目的」が考えられるか「〜するため」に当てはめる形で、どんどんアイデアをだしてください。

「鬼を倒して村を平和にするため」「鬼が持っている財宝を手に入れるため」「奪われた村の宝を取り戻すため」「さらわれた親友を助けるため」などなど。アイデアに正解も不正解もありません。その時点では、おもしろいか、物語に使えるかを考えず、とにかくたくさんだしましょう。

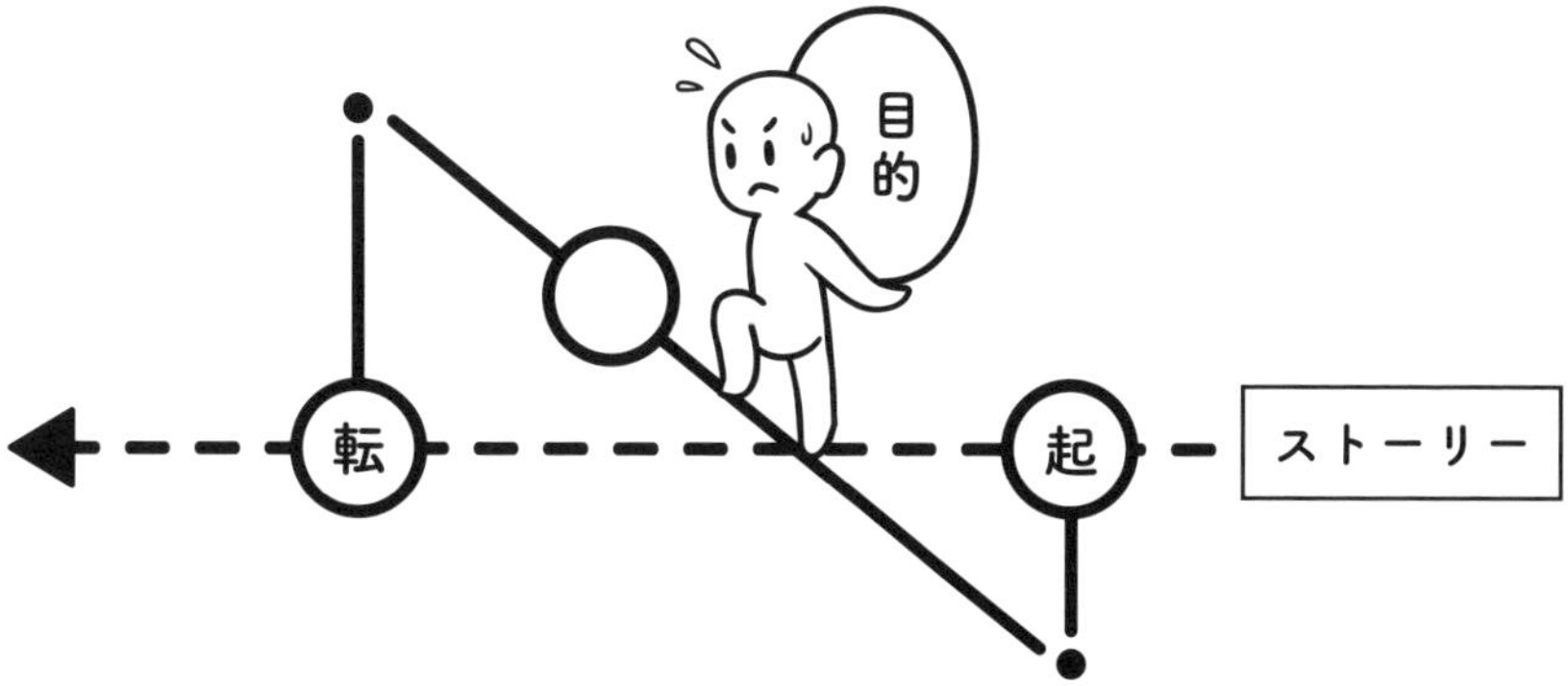

Q1 アイデアをどんどんだして、考えた桃太郎に相応しい「目的」を探してください。

「私の『桃太郎』の天地人は、(天)むかしむかし、(地)若者が少ない老人ばかりの村、(人)他人を信用しすぎてはダメと教えられて育った勇敢すぎる性格の桃太郎なので、目的は『周りから一目置かれるため』とか、『人任せでは安心できないため』とかでしょうか」

「いいね！　ちゃんと桃太郎の『目的』に、キャラクターがでているね。アイデアをだす時は、一章のキャラクター図（P80）を見ながら取り組むと、ヒントがもらえるよ」

Q2 なぜ桃太郎が、Q1で考えた「目的」を持つのか、理由を考えてください。

「え!?　理由もですか……周りから一目置かれることで、裏切られないと思ったから。人任せにしないことで、自分の目で鬼を退治できたか確認できると思ったから、とかですかね」

「いいね！　桃太郎が『目的』を持った理由にも、『他人を信用しすぎるな』と育てられた桃太郎のキャラクターがでているね」

主人公に坂を登らせるには、「目的」が必要です。そして「目的」を持つためには、目的を持つ「動機」が必要になります。主人公に「動機」がないと、お客さんが「あんな坂を登る必要ないのに」と思ってしまいます。**「目的」と「動機」はワンセットで考えてください。そしてどちらにも、主人公のキャラクターとの関連づけが必要です。**キャラクター設定が大切なのは、こういった部分を考える際にも必要になるからです。

主人公の「目的」は、「起」もしくは「承」の序盤でしっかりと描いてください。「動機」は、はじめからわかるパターンと、「実は……」とあとからわかるパターンがあります。

作家の**腕**を使おう

主人公の「目的」を考える

「目的」を持たせることで、貫通行動が生まれる

「目的」を考える時は、主人公の「動機」も考える

作家の**眼**を使おう

どんな人が、なんのために頑張るのか、日頃からいろいろな人の行動に作家の眼を向けよう

「障害」をぶつけて主人公をこまらせる

「あの、すいません……主人公が『目的』を持つと、坂道を登りきっちゃいませんか……」

「ふふふっ、主人公がズンズン進みだしたらしめたもの！　『障害』をぶつけてこまらせよう！」

「目的」を持つことで、主人公が坂道を登りはじめます。このままでは坂を登りきってしまいそうです。**主人公が坂を登りきらないように、「承」の機能「障害」を使います。**

二章でお伝えしたように、障害には「事件」「事実」「事情」の三つがあります。この三つを使いながら「承」の障害を考えます。

障害がなかった場合、桃太郎は「誕生」↓「村が襲われる」↓「鬼退治の決心をする」↓「仲間を集める」↓「鬼ヶ島へ向かう」↓「鬼と戦う」↓「鬼を倒す」というストーリーを、順調に進んでしまいます。

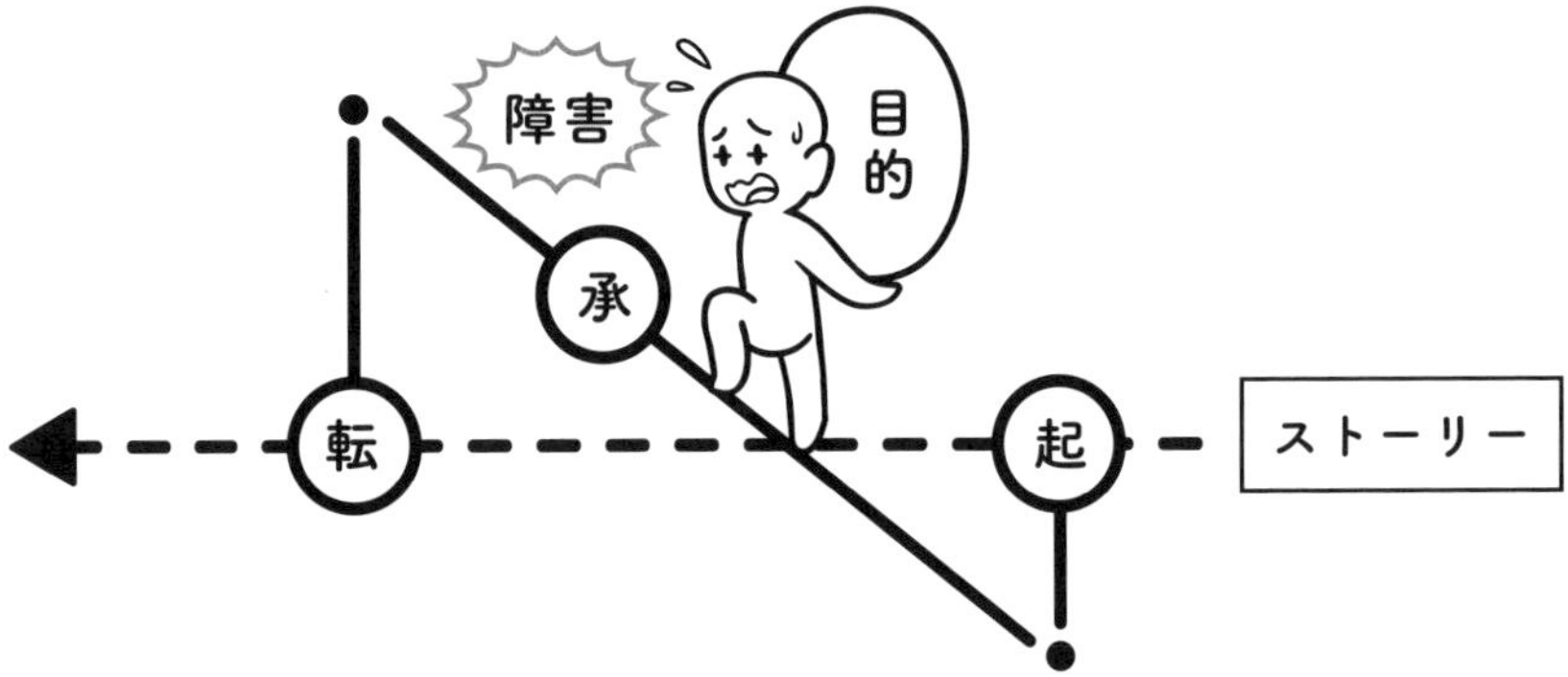

Q1 桃太郎が進む道に「障害」をぶつけてください。

「えっと、村が襲われるのは、すでに『事件』ですよね。さらに桃太郎にとって、大切なものが奪われるのかな。あと、決心する時も、村人たちを信用していいのかと思うような『事件』があったり、仲間集めの時は、若者がいない村という『事実』と、サル、イヌ、キジはそう簡単に仲間にならない『事情』を持たせたり。鬼ヶ島へ向かう時も、サルとイヌのケンカという『事件』が起きて、そのせいで鬼と戦う時も、仲間同士で協力できない『事情』が生まれるとかでしょうか」

「いい感じ、いい感じ。『承』では、物語の大きな流れを考えながら、そこにぶつける障害を考えていくといいよ」

障害を考える時には、できるだけ主人公だからこそ、こまることをイメージしてください。

そうすることで、主人公が障害を乗り越えていくたびに、主人公ならではの変化・成長を描くことができます。

作家の腕を使おう

物語の大まかな流れを考える

大まかな流れをもとに、主人公にぶつける「障害」を考える

主人公だからこそ、こまる「障害」をイメージする

作家の眼を使おう

うまくいかない時、障害を感じる時は、坂を登ろうと頑張っている証し。日頃から、障害を乗り越えるような行動をしているか、自分自身に作家の眼を向けてみよう

「結」で物語の世界を落ち着かせる

「なんだか、構成を考えているこちらまで息苦しくなります。物語の主人公って過酷ですね」

「そう。主人公は大変なの。でも、その先に変化や成長があるんだよね。とはいえ、ずっと息苦しいのはこまるから『結』があるわけ」

「結」の機能は、「テーマの定着」でした。では、**テーマを定着させるにはどうすればいいのかというと、テーマの「余韻」を感じるシーンを描きます。変化・成長した主人公の頼もしいうしろ姿を描くようなイメージです。**主人公を、そっと平坦な道へと戻してあげることで、お

客さんも主人公と一緒になって物語の世界から抜けだすことができます。

もしもつづきものを書きたいようであれば、「余韻」ではなく「期待」を感じるシーンにします。主人公の大変な道のりが終わった、と思いきや、次の問題が起きそうな余韻を残します。

構成の機能を使って、主人公が変化・成長するための坂道のつくり方がわかってきたのではないでしょうか。**落差のある坂道をつくったら、主人公を上へ登らせつつ、下へと引っぱるような感じです。**主人公には申しわけないくらい大変な坂道ですが、なかなか坂道を進めない主人公の姿を描くことをみなさんは楽しんでください。

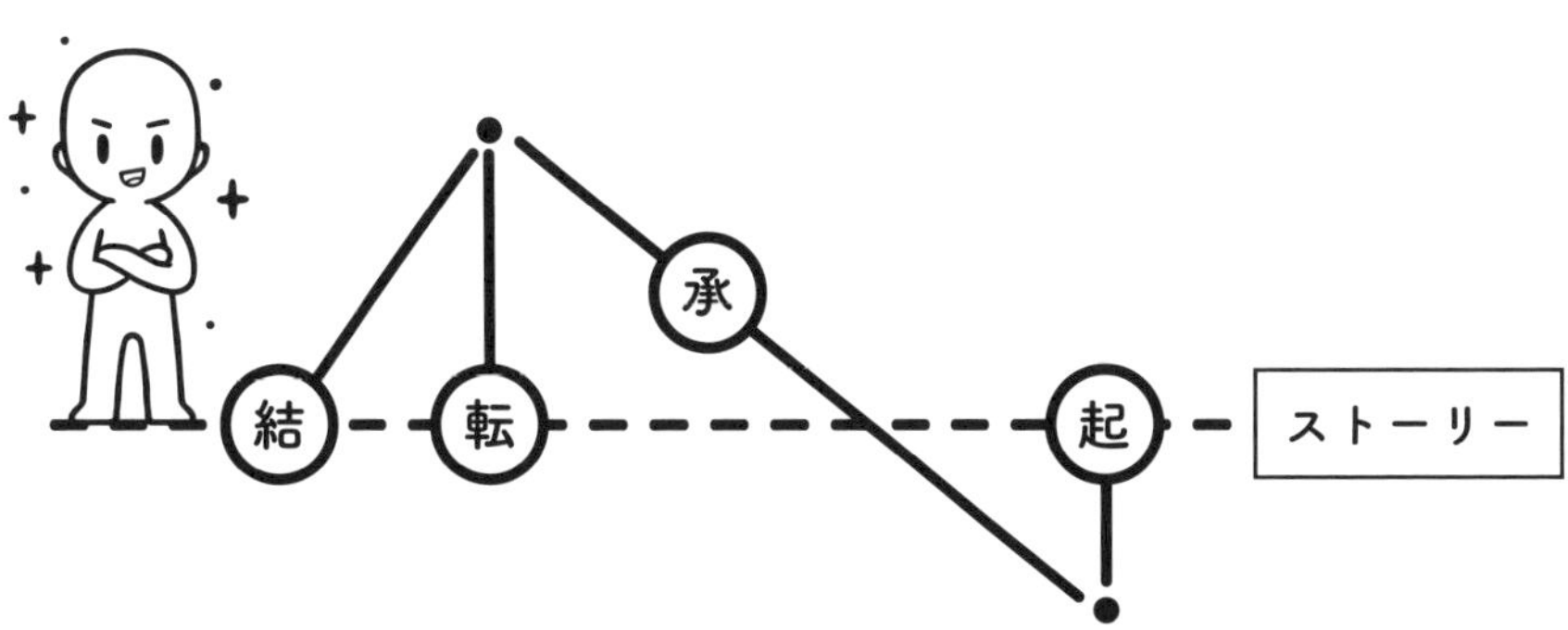

作家の腕を使おう

「結」では、テーマの「余韻」を感じるシーンにする

「余韻」をつくることで、お客さんは物語の世界からゆっくり抜けだせる

作家の眼を使おう

学校から家までの道。塾から家までの道。実はいたるところに、気持ちをクールダウンさせる場所がある。日常のなかにある余韻にも、作家の眼を向けよう

3

物語を「はじめ」から「おわり」までおもしろく描く

■構成の機能を使って、シーンを工夫する

「構成は数学に似ている、という意味がわかりました。考えるべきことが整理されますね」

「そう。構成は友だち！　仲よくしましょう。あとは、これまで巡ってきた島での経験をもとに、構成の機能を使ってシーンのアイデアをだしていけばいいってわけ」

ここまできたら構成の機能を使いながら、シーンのイメージを膨らませていきましょう。シーンのイメージを膨らませるポイントは、登場人物のキャラクターならではのアクション・リアクションを描くこと、「映像思考」を働かせることです。そうすることで、お客さんが感情移入するシーンをつくることができます。

まず物語を書こうとするとぶち当たるのが、「物語、どこからはじめるか問題」です。答えは、「主人公の魅力が伝わるところから」です。もしも昔話『桃太郎』で、「天」と「地」の説明のために、桃が流れてくる日の一週間前から話をはじめたら、お客さんは退屈してしまいます。昔話『桃太郎』が、大きな桃が流れてくる日からはじまるのは、桃から生まれる、という不思議さが桃太郎の魅力の一つだからこそです。

さらに、はじめ方には「張り手型」と「撫で型」という二種類があります。

「張り手型」というのは、インパクトのあるシーンからはじめる方法です。昔話『桃太郎』でいえば、「大きな桃に向かって、おじいさんが包丁を一振りする」とか、「『オギャー』と桃太郎が桃から飛びだす」とか、「鬼が村を襲っている」とかそういったシーンからはじめて、お客さんを「お！」と引きつけます。

「撫で型」というのは、物語の雰囲気をゆっくりと伝えていくような方法です。昔話『桃太郎』の「むかしむかし、あるところにおじいさんと、おばあさんがいました」という出だしは、「撫で型」です。お客さんの気持ちを、ゆっくり物語の世界へいざなっていく感じです。はじめ方を工夫して、お客さんの気持ちをグッと掴んでください。

作家の腕を使おう

「起」は説明的になりがちなので、気をつける

「起」は、主人公の魅力が伝わるところからはじめる

出だしには、「張り手型」と「撫で型」の二種類がある

作家の眼を使おう

日頃から、いろいろな作品のはじめの十分くらいだったり、小説なら数十ページだったりを読んで、「起」の描き方を研究してみよう

■「緩急」をつけて、起伏をつける

「次は『承』ですよね。ちょっと気になるのは、主人公がこまってばかりで、なんだかしんどいです」

「お、村田氏、鋭いですね！　そう。これだと、こまってばかりで、お客さんも主人公も疲れちゃいます。そこで次なる手。『緩急』です！」

まず、坂だけの『桃太郎』の場合は、図のようなイメージです。桃太郎は坂を登っていきますが、ずっとしんどそうなので、観ているお客さんも疲れてしまいます。しかも一本調子なので、主人公は坂を登っているのに、物語としての盛り上がりに欠けます。**そんな「物語、盛**

り上がりに欠けちゃう問題」を解消してくれるのが、「緩急」です。表現技術では、チェンジ・オブ・ペースといいます。ずっと登っているのではなく、主人公の進むペースに変化を加えます。

昔話『桃太郎』の桃太郎が「決心する」シーンと、桃太郎たちが「仲間になる」シーンを使って考えてみます。まずは、「緩急」の「緩」です。

「決心する」シーンでは、迷いながらも決心した桃太郎の表情に、どこか凛々しさがあります。お客さんも「おっ！ ついに決めたんだ」と落ち着いた気持ちで受け止めることができます。

「仲間になる」シーンでは、こちらも紆余曲折ありながらも、サル、イヌ、キジが仲間になります。四人で文句を言いつつもきび団子を一緒に食べたりします。お客さんも「なんだかんだ、仲間になったか」と一安心です。

このような感じで、一つの話に決着がついたら、緊張感

を緩ませることでお客さんにもホッと一息ついてもらいます。

Q1 では、「決心する」シーンから「仲間になる」シーンの間に、「急」となるシーンを考えてみましょう。

「主人公もお客さんも、ホッと一息ついてから『急』ですよね。決心した桃太郎だったけど、一人ぼっちですし、なんか鬼ヶ島までの道って薄暗い感じもするので、いくら勇敢でも不安な気持ちが膨らんできそうですよね」

「せっかくの決心も、桃太郎が不安になることで、お客さんは『どうするんだろう?』と一緒に不安になっちゃうね」

「決心する」という「緩」から「急」へ向かわせるには、「決心する」→「決心が揺らぎかける」ところへ向けて、主人公を歩かせます。せっかく登りきった坂道を、下りていくようなイメージです。

主人公を登ったところから下ろすようにすると、「承」のシーンのなかに落差が生まれます。

Q2 桃太郎の不安な気持ちがピークに達した時、桃太郎のもとに、サルやイヌやキジが現れます。なにが起きるでしょうか？

「最終的には『仲間になる』ところに向かっていくわけだから、まずサルたちは仲間にしてほしいと言いますよね。そこで桃太郎がこまるような一悶着《ひともんちゃく》が起きればいいですよね。サルが仲間になると言うと、先に仲間になっていたイヌが、サルなんて信用できないから仲間にするな、とか言って、イヌとサルが言い合いをはじめて、桃太郎がどんどんこまる。こんな感じでしょうか」

「『人を信用しすぎるな』と育てられた桃太郎だからこそ、登りにくそうな『障害』になっていていいね」

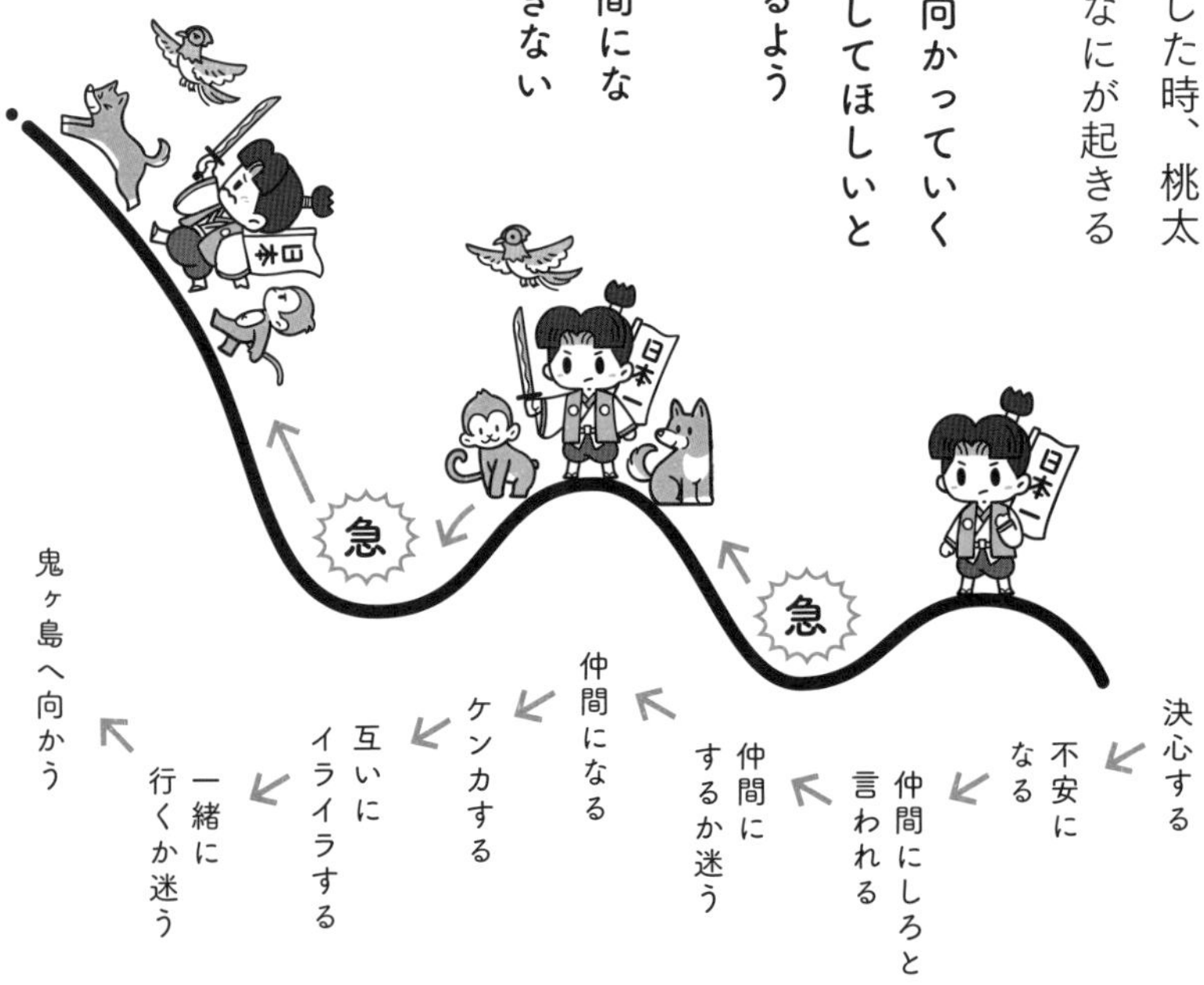

登場人物の感情が、上がり下がりを繰り返すことで、「承」のシーンの間にも落差が生まれます。主人公は三歩登っては、二歩下りるような状態になるので、お客さんは目が離せなくなります。その状態をつくるのが「障害」です。

ちなみに、仲間にするか迷う桃太郎が、仲間に加える決断をすることに違和感がないのは、桃太郎の「目的」と「貫通行動」がお客さんに伝わっていればこそです。

作家の腕を使おう

「緩急」を使って起伏をつける

「緩」では物語の緊張感を緩める。「急」では主人公に障害をぶつける

主人公の感情の変化、行動の変化によって、お客さんが感情移入する

作家の眼を使おう

日頃から、人の感情の変化、行動の変化にも作家の眼を向けよう

■主人公を、さらにこまらせる

「物語を見ていると、『一難去ってまた一難』みたいなことを感じますが、こういうことだったのですね。ホッとするシーンがある分、次の問題の予感がする時とか、『あぁ～それ絶対やらない方がいい』とか思いますもん」

「そうそう、そういうことなの。しかも、下りる時も登る時も主人公はこまるから、目も離せなくなる。でもね、もっとこまらせるよ」

主人公が進む坂道がでこぼこになりました。とはいえ、闇雲にこまらせればいいわけではありません。それは「こまっているのに、感情移入できない問題」を引き起こします。そこで、障害に一工夫します。

障害は、「事件」「事実」「事情」の三種類ありますが、こまらせようとすると、どうしても「事件」を使いたくなります。たとえば天気が悪くなったり、火事などが起きたり、『桃太郎』であれば山賊が襲ってきたり、といった具合です。

確かに主人公はこまりますが、これは、主人公でなくてもこまることです。主人公をこまらせるアイデアは、できるだけ主人公だからこそこまることを考えてください。ポイントは、主人公の手足の自由を制限することです。表現技術では、「カセ」といいます。「カセ」には、大きく二つあります。

・主人公が置かれた状況に対する「カセ」
・主人公の内面にまつわる「カセ」

Q1 考えた『桃太郎』をもとに、主人公が置かれた状況に対する「カセ」を考えてみてください。

「私の『桃太郎』だと、『村に若者が少ない』は状況のカセですよね。他には、『何日以内に鬼ヶ島に行かなければならない』とか『鬼ヶ島は空気がうすくて、数時間しかいられない』とか、そういうことでしょうか？」

「いいね、いいね！　そういう時間の『カセ』の他にも、状況に対する『カセ』は、主人公をしばる約束や掟《おきて》、場所の特性なども考えられるね」

Q2 考えた『桃太郎』をもとに、主人公の内面にまつわる「カセ」を考えてみてください。

「えっと、『人を信用できない』もカセでしょうか。あと『桃から生まれたことを、ばれたくない』『唯一の友だちがさらわれたのは、桃太郎をかばってだった』とかも、カセになりそうです。あ、『人に暴力をふるうと、体の一部が腐りだす』とか？」

「腐っちゃう桃太郎いいね！　戦いがまさに命懸けで、カセだよね」

主人公の内面にまつわる「カセ」には、主人公が持って生まれた宿命的なもの、秘密にしていること、心のうちに抱えていること、主人公と他の登場人物との人物関係などがあります。
カセをうまく入れていくためには、一章でやった主人公のキャラクター設定を練っておくことです。主人公をこまらせるカセのアイデアが浮かびやすくなります。

作家の腕を使おう

主人公ならではの「障害」を考える

カセを考えると、主人公ならではになりやすい

カセには、主人公の「状況」と「内面」に関わるものがある

作家の眼を使おう

自分の人生を眺めてみても、いろいろなカセがあるはず。どんなことが自分のカセになっているのかにも、作家の眼を向けよう

登りにくい坂を登らせる秘訣

「それにしても、主人公は大変ですね。というか、目的を持つと人はみんな大変な思いをするものですねぇ〜」

「遠い目をしないの！　でも、その通り。それでもあきらめないのが、主人公のいいところ。あきらめさせないのが、『作家の腕』の見せどころ！」

主人公は、坂道を登ったり下りたり、そしてまた登ったりと、とても大変です。主人公があきらめてしまえば、そこで物語は止まってしまいます。ということは、主人公にあきらめさせないための工夫が必要です。そのヒントが、すでに起承転結の機能のなかにあります。それが、「〜目的です。**目的があるから、主人公はあきらめずに障害を乗り越えていけます。ですが、「〜のため」という気持ちだけでは、心が折れてしまうかもしれません。そこで、「〜しなければならない」という「事情」を桃太郎に持たせます。**

Q1　『他人に頼らずに生きられるようになるため』という目的を、桃太郎が持っていたとします。この目的を『他人に頼らずに生きられるようにならなければ』と強化するには、どうすればいいでしょうか？

「えっと……おじいさんとおばあさんから、つらくなったら読むようにと言われていた手紙に、『二人とも寿命が近いこと、人を信用するなと育てたのは私たちなしでも生きていけるように』みたいなことが書いてあると、『他人に頼らずに生きられるようにならなければ』と目的が強化されそうです。どうですか？」

「いいね！　しかも、手紙は小道具だね！　そうなると、桃太郎が本当の意味での『強さ』に気づくクライマックスはすごく盛り上がるね！」

「目的」が強化されることで、物語の進む力が強くなるだけでなく、主人公への障害も大きくできます。物語がどんどん盛り上がります。

ちなみに、おじいさんの手紙は、桃太郎が鬼退治に向かう日に渡されているというシーンをさりげなくつくってお

くと、唐突感がなくなります。**表現技術では「伏線《ふくせん》」といいます。コツは、こっそり物語のなかに忍ばせておくことです。**

作家の腕を使おう

主人公の目的を強化する

主人公の目的が強化されるシーンを考える

主人公の目的を「〜したい」から「〜しなければならない」にする

作家の眼を使おう

目的を持つと必ず障害が生まれる。それでも頑張れる時は、あきらめない理由が必ずある。日頃から、あなた自身の貫通行動とその目的について作家の眼を向けよう

■「転」クライマックスは、いちばんきつい傾斜にする

「テーマを訴えるためにも、クライマックスでは主人公をいちばんこまらせなきゃいけないわけですよね。なんだか、気の毒です」

「そう。気の毒。でも、作者がそう思うくらいなら、お客さんもきっとそう思うし、どうなるか先が気になる物語になってるってことだよね」

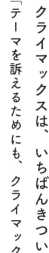

主人公が登る坂は、一直線ではありません。でこぼこ道です。**それでもなんとか登ってきた主人公を突き落とすのが、クライマックスの直前です。とってもこまってもらうためには、主人公がいろいろと手にしてきたものを、全て失うくらい追い込みます。そうすることで、いちばん傾斜のきつい坂を登らせることができます。**

Q1 『仲間を信頼する大切さ』というテーマを訴えるために、クライマックスの坂をいちばんきつくするには、桃太郎をどういう状況に追い込めばいいでしょうか？

「えっと、他人を信用しない桃太郎の変化によって、テーマを訴えるわけだから、クライマックス直前に桃太郎が仲間を信用できなくなって、そのせいでみんなの気持ちがバラバラになってしまう。けど、鬼を倒すには仲間と協力しなければ無理……という感じでしょうか」

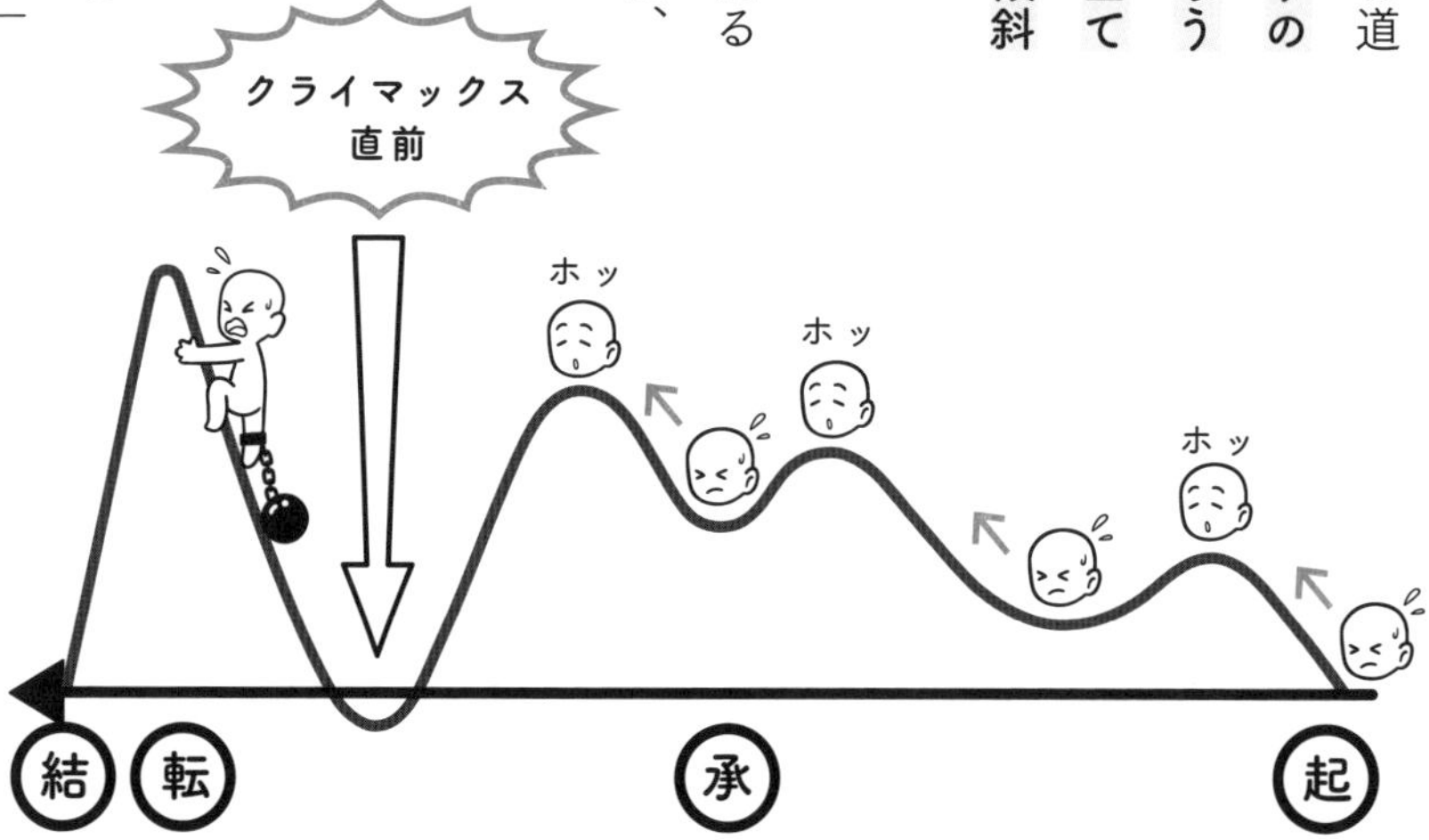

「おぉいいね！　さぁ桃太郎たちは気持ちを一つにできるのか、そして桃太郎は仲間を信用して戦えるのか、はたまた……ベンベン！って感じだね」

主人公にとっていちばん大変な障害を乗り越えようとするのが、クライマックスです。どんな主人公の姿を描けばテーマが訴えられるのか、考えてください。ちなみに**お客さんは、主人公が最大の障害を乗り越えられるかどうかよりも、乗り越えようとする姿に感情移入します。**ハッピーエンドにするか、バッドエンドにするかに悩むよりも、「人間を描くこと」に力を注いでください！

作家の腕を使おう

「転」のクライマックスに向けて、主人公は全てを失う

「転」で、主人公にいちばんきつい坂を登らせる

作家の眼を使おう

自分にとって、いちばん克服しなければならないものはなにか、日頃から考えてみよう。意外に、いつも何気なく遠ざけているものだったり、身近にあるものだったりするかもしれません

シナリオ・センター式　物語の構成ポイント

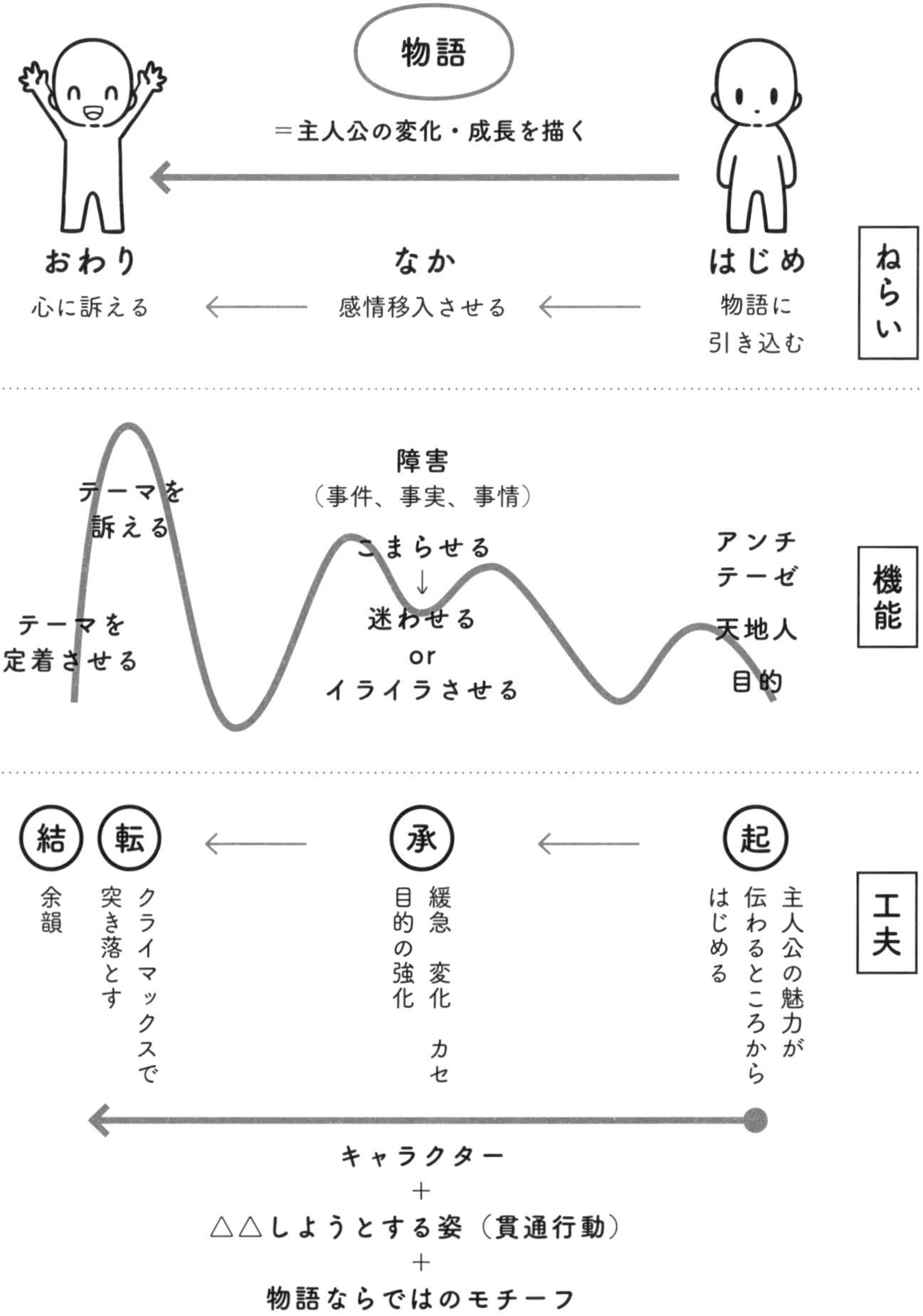
物語
＝主人公の変化・成長を描く
おわり
心に訴える
なか
感情移入させる
はじめ
物語に引き込む
ねらい
テーマを訴える
テーマを定着させる
障害
（事件、事実、事情）
こまらせる
↓
迷わせる
or
イライラさせる
アンチテーゼ
天地人
目的
機能
結
余韻
転
クライマックスで突き落とす
承
緩急　変化　カセ
目的の強化
起
主人公の魅力が伝わるところからはじめる
工夫
キャラクター
＋
△△しようとする姿（貫通行動）
＋
物語ならではのモチーフ

エピソード　まだなにもはじまっていない

■創作に年齢なんて関係ない

かずちゃんさんが言うことを、夢中でミソ帳に書きとめる。気づけば、二十四時になろうとしている。そろそろ帰らないと、さすがにまずい。でも……なにか掴めそうな気がして、まだ帰りたくないという気持ちがぶつかり合う。あぁ迷うってこういうことか！　そうか。物語も人生も、障害の連続なんだな。

さすがに疲れた様子のかずちゃんさんが、ガラスビーカーに入れたコーヒーを飲み干す。

「村田氏、明日のお昼休み、演劇部の部室に行ってみなさいよ」

部室？　大田垣がいるのだろうか。

「私は、大田垣にいいアドバイスができますかね？」

「う〜ん。どうだろうね」

「えっ!?　そんな無責任なっ」

私は思わず、口を押さえる。

「村田氏はどう思うの？　できそう？」

ペンを持つ手に力が入る。できそうかと言われると、自信はない。でも、このままでいいわけもない……。

「お、大田垣の力になりたいです」

かずちゃんさんが、いままでになく優しい表情になる。

「それなら、言葉を尽くすのみ！　あとは、さやっちたちを信頼するだけよ」

言葉を尽くす、か。そうだよな。ん？　さやっちたち？

「あ、それから！」

かずちゃんさんが、抱えたえんぴつをわざとらしくなでる。

「創作に夢中になるのに年齢なんか関係ないよね〜」

そして、えんぴつでミソ帳をコンコンと叩く。

「ほら、お味噌と一緒。味噌も人も年を重ねるほどに、うま味は増していきますんで！」

「え？　いや、でも」

「でもも、へったくれもないの！　**『作家の頭』『作家の腕』『作家の眼』は、いくつから**

でも磨けるし、いくつになっても磨けるんだから。

コンクールに二、三回落ちたくらいで、自分を見限っちゃ、ダメよ～」

私が「え？」と聞き返す間もなく、かずちゃんさんは「では、どろんで」と言って消えてしまった。知ってたのか……コンクールに挑戦していたことも。

私は急いで荷物をまとめて、職員室をでる。

月が、雲から顔をだす。

「まだなにも、はじまっちゃいないのかもな……」

自転車にまたがって、月明かりが照らすグラウンドを立ちこぎで走り抜ける。

私のアドバイスで変わるのか!?

昼休みを迎えた生徒たちのざわめきのなか、演劇部の部室へ向かう。昨日のことが夢のように感じる。でも、確かに自分は体験した。

部室のドアの前に立つと、なかから話し声が聞こえる。部員たちがいるのだろうか？　ドアを開けると、大田垣と小早川、それに真嶋が振り返る。黒板には、構成の図が書いてある。

「あ、先生！」

大田垣が、私の顔をのぞき込む。

「会いました？」

私はうなずく。ミソ帳を開き、構成のページを三人に見せる。大田垣と小早川が、ハイタッチをする。

「大田垣さやか！　おれに感謝しろよ」

「はぁ？　なに言ってんの？　小早川のくせに。調子に乗んないで」

「まぁまぁ二人とも。先生の話聞こうよ」

憎まれ口を叩き合う二人。それを止める真嶋。こいつら、こんなに仲よかったか？

「それで先生。どう？」

三人が、私を黒板の前にうながす。芝居のアイデアが、構成の機能にそって書いてある。その図を、じっと見る。三人の視線を感じる。私なんかのアドバイスで……そう思いかけて、頭を振る。

「リザブー、どうなんだよ？」

小早川が、急《せ》かす。

「うん。物語の停滞を感じる。それは、そう。テーマとアンチテーゼが、ズレているからじゃないか？　それにほら。この『承』の部分。障害がつくれていない」

三人が顔を見合わせる。

違ったのか？　心臓がどくどくと脈を打つ。教師初日でさえ、こんなに緊張はしなかった。

「おぉ〜確かに！」

三人が嬉しそうな顔をする。こんな顔をしてもらえるのか。私のアドバイスで！

黒板に向かって話し合う三人の表情がまぶしい。でも、いまは目を逸らさない。

秋風が部室のカーテンを勢いよく揺らす。机に置かれたミソ帳が、パラパラと軽快な音を立ててめくれる。四人で振り返ると、「**ドラマとは、変化である**」と書かれたページでミソ帳が止まる。

私たちは顔を見合わせて、思わずニヤニヤする。

ミソ帳memo

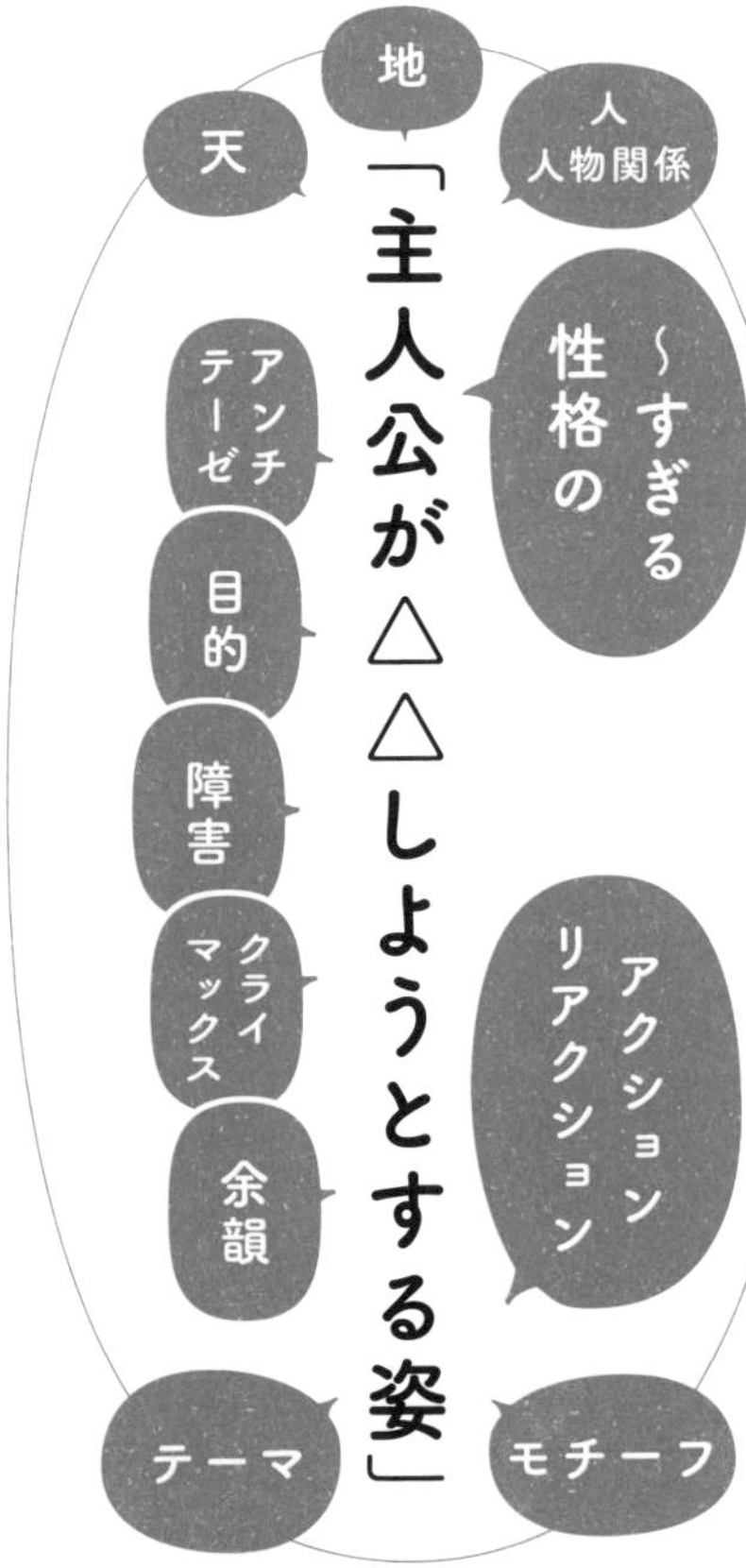

シンプル一行に、描きたい物語全体のアイデアが加わったね！　あとはシーンで登場人物たちの「姿」を描くだけだね！

第5章

楽しく書きつづけよう!

創作にまつわる お悩み解消

1

作品の書き方で迷ったら

「どうも、かずちゃんです。ひーちゃん、マーシー、さやっち、そして村田氏の悩みは、だいぶ解消されたみたいで、おじさんホッとしています。ですが、全国の創作好きのみなさんからも、ちょくちょく相談されることがあります。なので、最終章ではみなさんからの質問にお答えします！　引き続き、『マジカル・ミソ帳ツアー』を楽しんでね」

■アイデアがでない時の発想法

？ 「アイデアがでない時、どうしたらいいか知りたいです。アイデアを発想する方法とかありますか？」

「二つの発想法を紹介するから、使いながら慣れていってね」

なんかいいアイデアがでないとか、アイデアの手がかりも掴めない……そんなことも、創作をしていれば当然あります。そんな時の対処法を、いくつかご紹介します。

まず、**アイデアをだす時は「こんなこと考えたら変かな」とか「これはおもしろくないか」とか、最初の時点で考える必要はありません。自分のアイデアを、自分で否定しないようにしましょう。**

その上で、ご紹介する発想法の一つ目は「あるある法」です。たとえば「学校を舞台にした恋愛もので、主人公が気持ちを伝えようとする姿を描きたいなぁ」と思ったら、**まずはよくある物語のアイデアをだしていきます。思わず「あるある」と思うものです。**

「あるある」アイデアがある程度でたら、**「あるある」を「あべこべ」にしてみます。これが、二つ目の発想法「あべこべ法」です。**たとえば、あるある法で「屋上の告白」があったとしたら、あべこべ法で「地下室の告白」にしてみる。こんな感じで「あるある法」と「あべこべ法」を使って、どんどんアイデアをだしてください。

■シナリオ（脚本）ならではの書き方

「シナリオ（脚本）を書きたいのですが、書き方がよくわかりません」

「シナリオの原稿用紙への書き方は、少し特殊。基本的な書き方はこちら」

シナリオは、映画やテレビドラマなど、映像作品をつくる時に必要な設計図の役割を担います。脚本、台本、ホンなど、呼び名はいろいろありますが、役割は一緒です。
シナリオの原稿用紙への書き方は、作文や小説とは異なります。というのも、**シナリオは物語を映像にするための設計図なので、撮影に関わるスタッフ全員に統一したイメージを伝えなければならないからです。**そのためシナリオは、大きく三つの要素に分けて書きます。

柱

物語の起きる場所と時間帯を指定します。カメラを置く位置や照明の調整を、監督さんや照明さんへ伝えます。

ト書《がき》

登場人物とその状況、登場人物の動作や表情、そしてセリフの言い方などを書きます。俳優さんへの指示になります。

セリフ

俳優さんがしゃべるセリフを書きます。

この三つの要素を使って「本文」を書きます。この他に「表紙」、登場人物を記す「人物表」があります。

表紙

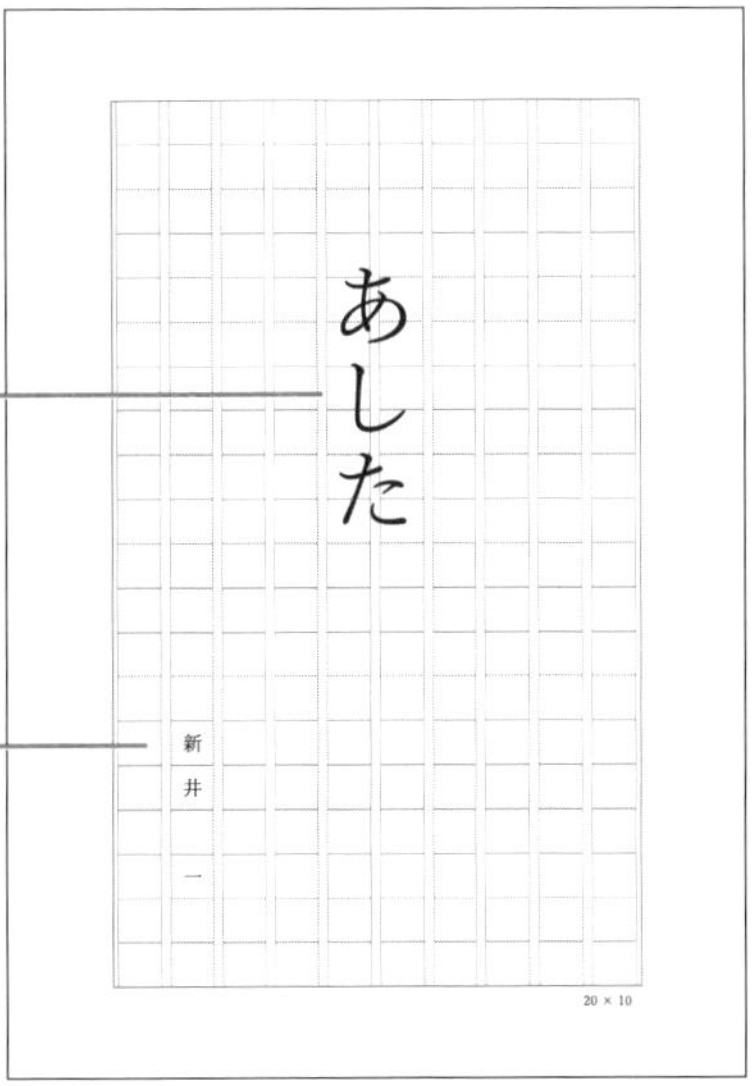

タイトル

タイトルを真ん中に大きく、見やすく書きます。

名前

脚本を書いた自分の名前を書きます。

裏表紙

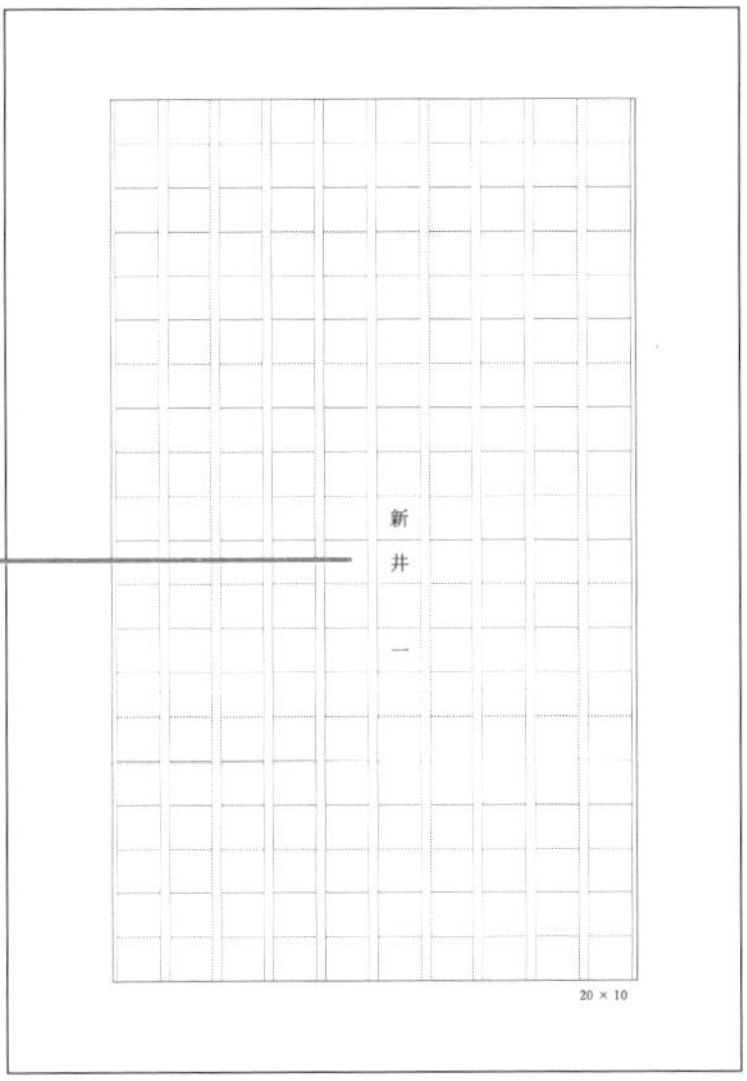

本名

表紙ではペンネームを使ってもかまいませんが、裏表紙には本名を書きましょう。

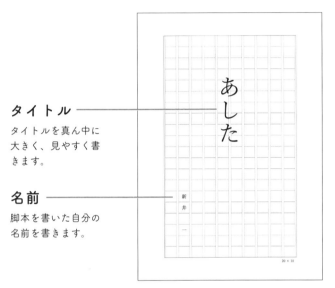

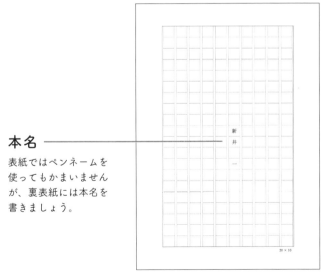

人物表

年齢

人物名の下に書きます。

人物名

フルネームで書きます。役の重要度順で並べます。

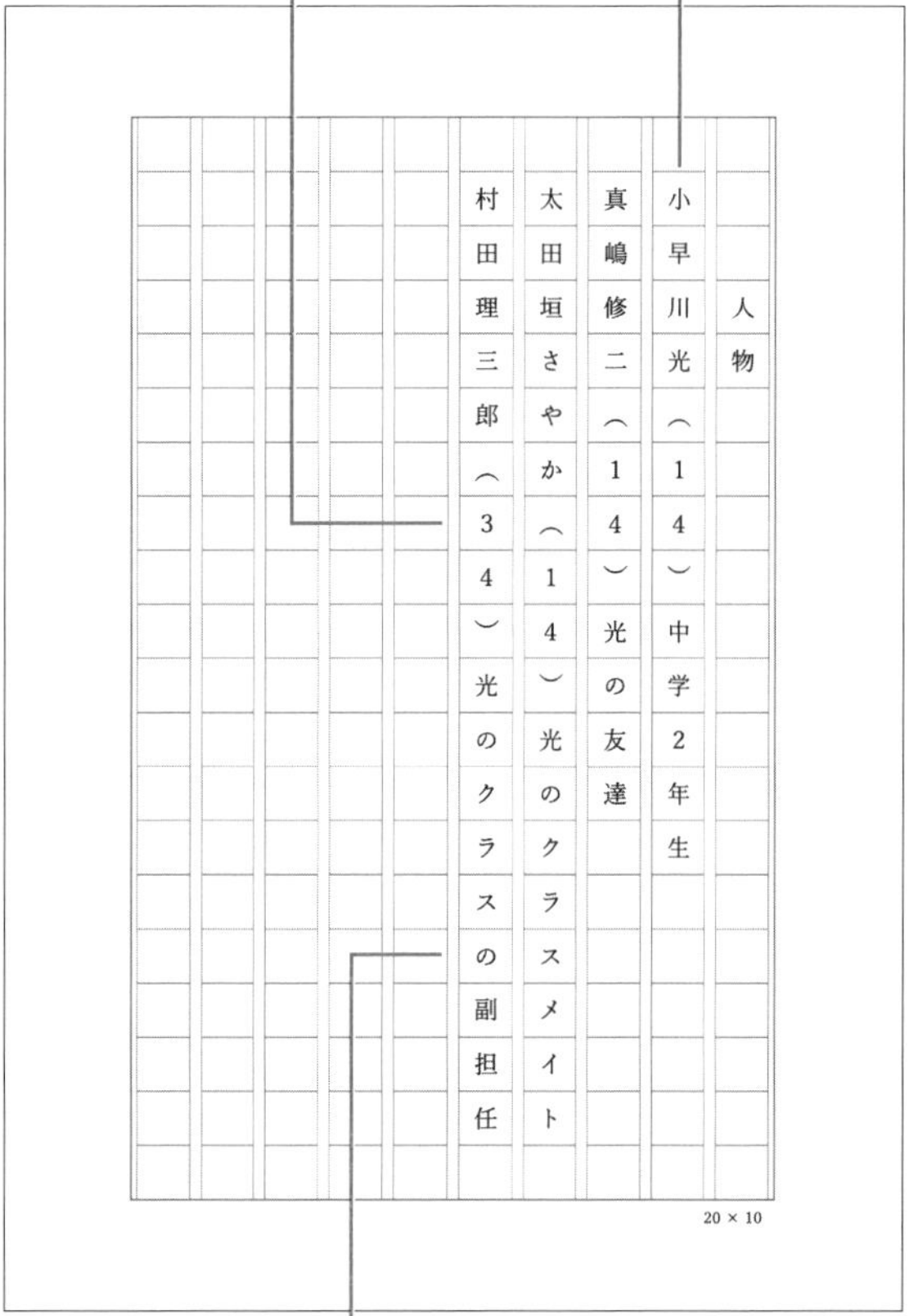

関係性

主人公との関係性を書きます。

柱

場所や時間帯などを書きます。柱の頭には○をつけます。照明さんへの指示のため、朝・夕・夜などを明記します。昼は書きません。

セリフ

名前の下に「」で入れます。二行目は上一マス空けます。

本文

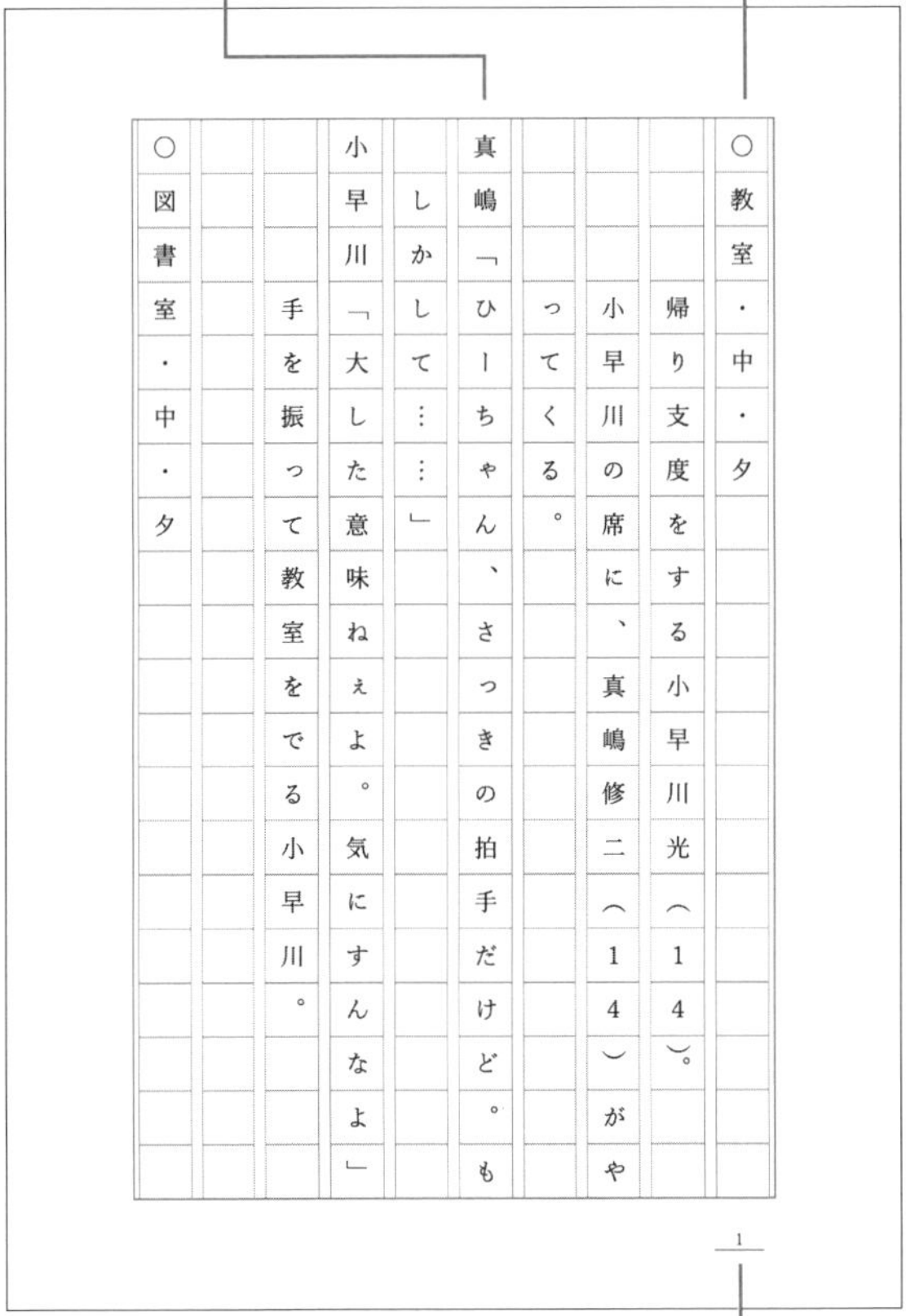

ページ数

枚数が多くなるので、必ず入れます。

　　　ずらっと並んだ本を見ている小早川。
　　　手のひらで、本の背表紙をなでて歩く。
さやか「あんた、何してんの？」
　　　ビクッとする小早川。
　　　太田垣さやか（14）と村田理三郎（
　　　34）が、怪訝な顔をして立っている。
小早川「なんだよ！驚かせんなよ！」
村田「小早川が図書室なんて、珍しいな。調
　べものか？」
　　　小早川が、手のひらをじっと見つめる。

2

ト書

登場人物の動作など、目に見えるものを書きます。上から三マス空けます。二行目以降も三マス空けます。初めて登場する人物の場面では、フルネームと年齢を入れます。

★ト書のポイント

目がカメラになったつもりで、見えることだけを書くことが大切。

- **時間経過**　「しばらくして」と書いても時間の経過は伝わりません。時計かカレンダーなどを使って具体的に見せたり、セリフで言ったりします。
- **心理描写**　「本当はいい人」と書いても、人柄や気持ちは映像になりません。嬉しい時どうするかなど、具体的に書きます。
- **人間関係**　仲よし関係を見せたい時は、目に見えて仲がいいやりとりを書きます。
- **形容詞・目的・状況**　見えないものは、具体的に書きます。「花を買いに行く」ではなく、花を買っている状況を描きます。

次に、シナリオは映像で伝えるために書くので、人の気持ちや関係性、目的、時間など目に見えないものを目に見える形で表現します。かなりおもしろい創作ですよね。そのため、頭のなかで映像をイメージする「映像思考」がポイントになります。

「映像思考」ができると、小説など他の表現手段でも、映像的な描写ができるようになるので、お客さんが情景をイメージしやすくなります。詳しくは、本書の二章と拙著『シナリオ・センター式　物語のつくり方』五章を参照ください。

シナリオから映像をつくる時は、多くの場合、撮影前に「絵コンテ」を描きます。「絵コンテ」というのは、シナリオをもとにそれぞれのシーンをどう撮影するのか、簡単な絵にすることです。絵コンテは、誰と誰が、なにをしているかがわかればいいので、描かれているものは棒人間でもかまいません。絵のうまい下手を気にする必要はありません。

「絵コンテ」があると、撮影に関わるみんなのイメージをすり合わせることができます。学校などで映像制作をする際は、シナリオと絵コンテをつくるといいですよ。

絵コンテの例

教室の様子と
帰りの用意をする
生徒たち
修二
ひーちゃん
修二が
ひーちゃんに
話しかける
さっきの拍手
振り返らず
手を振る
気にすんなよ
ひーちゃんが
図書室へ
入っていく
図書室
本の背表紙を
触っている
びっくりする
ひーちゃん
なにしてんの？

小説ならではの書き方

「小説を書きたいのですが、文章力に自信がなくて……」

「小説を書くからといって、美辞麗句《びじれいく》を並べる必要はないよ」

シナリオが目に見えないものを映像で表現する創作なのに対して、小説は、目に見えない人の気持ちや関係性などを文章で表現する創作です。「地の文」と「セリフ」の二つの要素で書くため、文章力が求められます。だからと言って、闇雲に美辞麗句を並べたり、比喩を使えばいいわけではありません。

文章力については、専門書があるので詳細はそちらに譲りますが、本書を読み進めてくれたみなさんにお伝えしたいのが、**登場人物のアクション・リアクションを丁寧に描く大切さです。**

「丁寧に描く」とは、登場人物がどんな場所で、誰となにをしているのかを書くことです。小説を書こうとすると、登場人物の心情をどんな文章や語句を使って表現するか考えがちですが、文章力とは実は描写する力のことです。登場人物の姿を読者がイメージできるように描写した上で、登場人物の心情を書くことで、読者は登場人物の気持ちや状況に感情移入することができます。ぜひ、「映像思考」も参考にしてください。

また小説独特の作法といえば、「視点」があります。大きく分けると「一人称」と「三人称」があります。もうこれだけで、混乱しそうですね。

一人称：ぼくは眠くなって、大きなあくびを一つした。
三人称：修二は眠くなって、大きなあくびを一つした。

同じあくびのシーンですが、「一人称」は主人公の視点です。「三人称」は、「地の文」の語り手の視点です。「一人称」は主人公の視点なので、「三人称」に比べて読者が感情移入しやすいというメリットがあります。一方で「三人称」は主人公の目の届かない部分まで書けるので、複雑な物語を書くことができます。

シナリオにしても小説にしても、創作は「書く」ことでしか上達しません。書きつづけるなかで、表現しやすい人称を手に入れてください。

■舞台の台本ならではの書き方

「演劇部に所属しています。舞台の台本を書く上で、気をつけることはありますか？」

「舞台だからこその見せ方、というのがあるよ」

演劇は、映画やテレビドラマが生まれる何千年も前から存在する創作です。物語の原点とも言えます。そんな演劇の特徴は、舞台と観客席が物理的に固定されていることです。そのため、**舞台の台本をつくる時は、物語の「地」とセリフに特に工夫が必要になります。**

まず「地」についてですが、映像のようにシーンごとに場所を動かすことができません。理由は簡単。舞台の背景やセットを何種類もつくって、何度もセットチェンジをすることはむずかしいからです。そのため、物語のなかで扱える場所には限りがあります。

次に「セリフ」です。演劇は映像作品のように、観客に見せたいものを見せる強制力がありません。映像作品であれば、犯人の証拠となる傷が額にある場合、「そ、その傷は！」というセリフとともに額をアップで映すことができます。ですが、演劇の場合はアップで映すことはできないため、観客は「え？　どこの傷？」となります。そのため「そ、その髪で隠してある額の傷は！」とセリフで表現します。演劇は映像作品に比べてセリフの重要度が高くなります。

だからこそ、演劇のセリフには、登場人物のキャラクターらしさがより大切になります。登場人物らしさがでることで、説明的なセリフであっても魅力的なセリフにできます。
　このように**演劇には物理的な制約がありますが、俳優が観客の目の前で演じるという最大の武器があります。**この武器を手に、じっくりと人間を描いてください。

■マンガならではの描き方

「絵が好きだからマンガを描きたいけど、物語がつくれません。コツはありますか？」

「マンガは、主人公のキャラクターがなによりも大切だよね！」

　マンガをつくるためには、絵がうまいだけではダメ。マンガには、絵が描けて、物語もつくれるという特殊な能力が求められます。それでも、この本でお伝えしてきた物語のつくり方を押さえれば、マンガも楽しく描けます。
　マンガならではのポイントは、**性格とビジュアルを含めた登場人物のキャラクター設定を固めておくことです。**まずは登場人物のキャラクターを考える際に、その登場人物の性格や憧れ性、共通性などの設定をつくり、ビジュアルをイラストに起こしていきます。登場人物のキャラクター設定ができていないと、ヒーローであれば単にヒーローっぽいだけのありきたりな人物造形になってしまいます。**キャラクター設定の際には、「この登場人物は神経質すぎる性格

だから、眼鏡をかけているとしたら、シルバーの細いフレームの眼鏡だな」など、具体的な部分まで考えておきましょう。

もう一つが、起承転結の「起」の魅力です。どの表現ジャンルでも「起」は大切ですが、**マンガでは出だしの魅力が肝になります。**主人公の魅力がでるところから物語をはじめること、主人公を魅力的に登場させること、主人公の「目的」を早めに伝えることです。そうすることで、「この主人公、どうなるのだろう？」と思わせることができます。

マンガの場合は、「キャラクター」と「起」を、魅力的にすることを特に意識してください。

2

創作は、学校生活で役立つのかと不安になったら

■人間関係の基本は、アクション・リアクションへの想像力

「物語をつくるって、学校のなかで役に立ちますか？」

「じつはね、人間関係を良好にするのにも、物語つくりは役に立つよ」

物語がつくれれば、読解力や文章表現力は上がりますが、物語をつくる力が評価される科目はあまり多くはないかもしれません。しかし物語をつくることで、人間関係が築きやすくなります。

日常のなかで、私たちは気を抜くと「自分」を中心にものごとを考えてしまいます。しかし、物語を書く時はどうでしょうか？ 登場人物が四人いれば、四人それぞれのキャラクターを考え、キャラクターごとのアクション・リアクションを考えます。そのため物語つくりをして

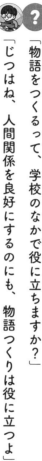

いることで「もしも自分がこう言ったら、相手はこんなリアクションをするかもしれない」と、相手のことを想像した上で、自分のアクションを考えられます。同じように、相手のアクションに対して、自分がどういうリアクションをすべきかも考えられます。少しむずかしい言葉でいうと、日常のやりとりを俯瞰することができるようになります。鳥のように、空の上から人間模様を眺める感じです。

これは別に、自分を殺して相手に合わせることとは違います。**あなたが自分らしくあるために、そして他の誰かの存在を尊重するために、相手の立場で考え、行動できるようになるということです。**

アクション・リアクションを考えるのは、友人関係だけではなく、部活などでの先輩後輩の間でも使えますし、もしもあなたが部活のキャプテンであれば、どう部員を引っ張っていけばいいのかを、考えるきっかけにもなります。**大人になると「マネジメント」というもっともらしい言葉になりますが、根っこは同じです。**いまのうちから、「作家の眼」と「作家の頭」を動かしておきましょう。

■小論文、感想文、プレゼンテーションの基本は、構成の技術

「勉強には役立ちますか？　受験勉強もあるし、創作に時間を取れないというか……」

「構成の技術は、文章表現や発表などいろいろと使えるよ！」

学校生活が充実してくると、日々の勉強も部活動もいろいろ忙しくなります。受験がせまれば、なおさらです。**創作の経験は、小論文、感想文、発表（プレゼンテーション）などでも役に立ちます。構成の技術を活用してください。**

小論文であれば、起承転結の「転」で訴えたい「テーマ」を決めて、そのテーマに対して「起」の「アンチテーゼ」を考えます。たとえば、世界で起きている戦争や紛争を「モチーフ」に取り上げ、「国をあげて平和への働きかけが大切だ」というテーマにするとします。その場合「アンチテーゼ」として、現状の政府の問題点をあげ、「承」で問題を解決する方法を提示することができます。

感想文であれば、まず対象の図書を一読したら、次は「起承転結の機能」をもとに、本の内容を分解していきます。そうすることで、本に書かれた内容が機能ごとに整理できます。作者のテーマも明確になります。その上で、あなたなりの感想を考えます。その際、「天地人」を自分の身近に引き寄せて考えてみたり、印象に残った登場人物のアクション・リアクションに

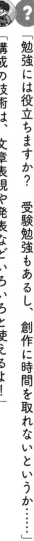

ついて、「もしも自分なら」と考えてみたりすると、感想がでやすくなります。

発表（プレゼンテーション）でも、同じように構成は使えます。プレゼンテーションの場合は、発表を聞く側に納得や共感をしてもらうことが大切です。そのため、起承転結の特に「結」のテーマの余韻を考えます。聞き手にどんなことを感じてもらえたら発表は成功なのかを考え、そこから伝えるべきことを構成していくと、魅力的な発表になります。

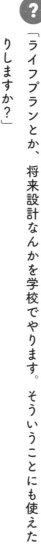

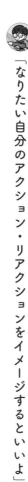

■ライフプラン、将来設計の基本は「映像思考」

「ライフプランとか、将来設計なんかを学校でやります。そういうことにも使えたりしますか？」

「なりたい自分のアクション・リアクションをイメージするといいよ」

物語をつくる時に「映像思考」のお話をしました。頭のなかに、具体的なイメージをする方法です。

「十年後の自分を考えてみましょう」と言われても、正直うまく考えられません。「先生の十年後はどうですか？」と聞いて、うまく答えてくれる先生もどれくらいいるでしょうか。そこで「映像思考」です。「映像思考」ができれば、あなたの五年後、十年後のありたい姿をイメージすることができます。

コツは、絵を描くように考えることです。十年後と言われると、「まぁ仕事をしているのかな」とか「結婚しているかも」「移住しているかも」と、なんとなく言葉にはしていても「絵」にはなりません。そこで「映像思考」を使います。「仕事をしているとしたら、どこで、どんな人たちと、どんな仕事をしていて、どんな風に働いていたいか」をシーンに描きます。「移住しているかも」であれば、「移住先はどこで、誰と、どんな時間を過ごしていたいか」をシーンにします。「柱」「ト書」「セリフ」を使って、シーンにしていけばいいわけです。

どうせ十年先のことはわかりません。だからこそ、自分の姿をシーンにしてみることで、ぼんやりした未来を具体的に描けます。**もしも「柱」「ト書」「セリフ」の要素で書けない部分があったとしたら、そこがあなたのなかでぼんやりしている部分です。その部分については、本で調べたり、自分の本音と向き合ってみたりしてください。**ある程度はっきりしてきたら、いまなにをすべきかも考えられるようになります。シナリオ・センターでは、大学生や社会人のセカンドキャリア向けにシナリオ・センター式のキャリアプラン講座を実施しています。型にはまった考え方から抜けだせて、嬉しそうにしている方々がたくさんいます。

3

創作していて、ふっと思ったら

■将来、創作に携わりたいと思ったら

「将来、脚本家や小説家になろうと思ったら、どうすればいいですか？」

「学ぶ場、切《せっ》磋《さ》琢《たく》磨《ま》する場はたくさんあるよ」

創作について学ぶことができる学校は、世のなかにたくさんあります。大学や専門学校、カリキュラムとして創作の授業がある中学校・高校、部活などもその一つです。シナリオ・センターのように、脚本家や小説家になるための講座をやっているところもあります。ちなみにシナリオ・センターでは「考える部屋」という中学生までを対象にした十代向けのコースも用意してあります。

学ぶ環境を選ぶ時は、「誰が教えているか」ではなく「あなたが、なにを、どう学べるか」

を基準に選ぶことが大切です。理由は簡単で、学ぶみなさんが「主」でなければいけないからです。

創作をする職業としては、映画やテレビドラマを書く脚本家、小説を書く小説家、お芝居を書く劇作家、マンガを描くマンガ家、マンガの原作を提供するマンガ原作者、アニメのシナリオを書くアニメシナリオライター、ゲームのシナリオを書くゲームシナリオライター、バラエティなどの台本を書く放送作家、ノンフィクションを書くノンフィクション作家、エッセイを書くエッセイスト、ネット上に作品を発表するYouTuberなどがあります。

また一つの職業の周辺には、その人たちと協力して仕事を進める人たちがいます。周りの大人に、仕事について聞いてみるのもおもしろいですよ。

しかし、**職業として創作をつづけることもすばらしいですが、職業というのは、生活の糧を得る手段にすぎません。創作は誰でも、どこでも、自由にできます。職業にするしないに関係なく、あなたが創作を楽しんでつづけることに価値があります。**

■人からの評価が怖いと思ったら

「書くのは楽しいですが、発表するのが怖いです」

「表現することは、確かに怖いことです。でも、それ以上の魅力があるよね！」

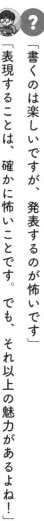

一生懸命書いたからといって、必ずいい反応がくるとは限りません。その気持ちとは、創作者の誰もが闘っています。でも、ちょっと落ち着いて考えてみてください。プロがつくった作品でも、「おもしろかった」とか「いま一つだった」とか、誰もが勝手なことを言います。**プロでも天才でも、作品を発表した瞬間に、好き勝手言われるのです。教科書にでてくるシェイクスピアや川端康成のような歴史に名を残す天才作家の作品だってそうです。なので、あなたの作品が常に高評価でなくても、落ち込むことはありません。**

大切なのは、あなたが作品を書きあげたという事実です。それは誰にも否定できません。そして、その作品を書くなかであなたが気づいたこと、調べて「なるほど！」と思ったこと、筆が止まって悩んだあの時間、工夫してうまく書けたあの瞬間は、かけがえのないものです。**表現をした人間に、勝るものはいません。胸を張ってください。**

いちばんいけないのは、あなたが誰かに作品をバカにされたり、笑われたり、思ったような評価をされなかったことで、創作をあきらめることです。なによりみっともないのが、バカにする側にまわること。そうならないためにも、創作を楽しみながら、おもしろい作品をつくれるようになってほしいと願っています。

■創作をつづけることに意味があるかな、と思ったら

「なんで自分は物語を書くのだろうって思うことがあって……」

「誰かに強制されているわけでもないのに、不思議だよね」

物語を書きたい理由は、いろいろあるのではないでしょうか。「書くこと自体が好きだから」「昔から書くのが好きだったから」「かっこいいセリフを書きたいから」「おもしろい設定をつくりたいから」「有名な作家になりたいから」。物語を書いていたら、大変なこともあるけれど、それでも物語をつくりたいと思うのは、物語を書くことが楽しいから、ですよね。なぜ物語を書くことは楽しいのか？　**その根っこにあるのは、物語つくりを通して「人間」について自分の頭で考えるからではないでしょうか。**ちょっと哲学的な言い方で、大袈裟に感じるかもしれません。ですが、考えてもみてください。

物語をつくろうと思ったら、自分とは異なる性格、考え方、育ち方をしてきたさまざまな登場人物たちを、あなたは生みだします。その瞬間、彼らの人生にあなたは触れます。そして登場人物の数だけ、アクション・リアクションを想像し、自分だったらどうする？　この登場人物だったら？　と無意識のうちに頭をフル回転させます。自分と登場人物の間を行ったり来たりしながら、そのシーンに相応しいセリフやト書、地の文を考えます。

しかも登場人物たちは、あなたが経験したことがないシーンの真っ只なかにいます。優勝がかかった試合で渾身《こんしん》の一球を投げようとするシーン、自分のために仲間を裏切ろうとするシーン、大好きな人に嫌われてしまいそうなシーン、不思議な惑星に辿り着いて星の住人たちとパーティーをするシーン、幼い子どもに銃口を向けようとするシーン……など、さまざまです。

みなさんは物語を描くことを通して、人間はなにを考え、なにを感じて、どんな言動をするのかを想像し、登場人物たちにそうさせる人間関係や社会、世界について、考えを深めていきます。あなたの「作家の頭」と「作家の眼」はフル稼働し、「作家の腕」がそれに応えます。**あなたにしかできない表現で、人間を描くためです。**

「物語をつくる」ことは、あなたのことを上に下に、左に右に、縦横無尽に広げてくれます。**物語つくりは、楽しい。だから書く。それでいいのではないでしょうか。「ドラマとは、変化である」ように、あなた自身も変わることができるのだから。**

■プロの作家からのおすすめ作品

物語つくりを楽しんでいるプロ中のプロから、十四歳のみなさんにおすすめの作品、ご自身が十四歳の時に影響を受けた作品を紹介してもらいます。興味を持った作品があったら、ぜひ触れてください。そして、それぞれの作家さんたちの作品についても調べて、触れてください。紹介してくれた作品と執筆されている作品に、どこか共通点があっておもしろいですよ！

タイトル：『耳をすませば』

紹介者：政池洋佑《まさいけようすけ》　脚本家

超冴えない中学生だったぼくは、この作品で東京・多摩地区を知り、東京の大学を目指すように。ほぼ現実逃避。でも、実際に多摩にある大学に進学し、人生が動きだしました。物語は、人生を変えるきっかけになります。

タイトル：『アラモ』

紹介者：柏原寛司《かしわばらひろし》　映画屋

「男とはこういうモンだ」という生き方と勇気を教えられた映画であります。そのあとの人生を考えるとよかったのか悪かったのか微妙ではありますが（笑）

タイトル：『スター・ウォーズ／新たなる希望（エピソード４）』

紹介者：上代　務《かみしろつとむ》　脚本家

初見は小学生の頃でしたが、やはりこの作品の衝撃は忘れられません。オープニングから一気に宇宙空間に引き込まれ、映画とは見たこともない世界に連れて行ってくれるものだということを教えられました。その影響で未だに生活の匂いのするような身近な話より、ＳＦや歴史大作など壮大な物語に惹《ひ》かれます。いまはスマホでも見られますが、ぜひ映画館の大スクリーンで体験してほしい作品です。

タイトル：『ミクロの決死圏』

紹介者：田嶋久子《たじまひさこ》　シナリオライター

これほどワクワクドキドキした映画を他に知らない。人体の内部を手作りで再現し、そのなかを俳優たちが悪戦苦闘する。映画を創るという情熱と魂にあふれた作品。CGのリメイク作品より俄然オリジナルで観てほしい。

タイトル：『銀河鉄道999』

紹介者：いずみ吉紘《よしひろ》　脚本家

「こんな話をつくれたら楽しいだろうな」と初めて思った大好きな映画です。機械の身体を手に入れるために宇宙へ旅立つ少年のお話。アクションあり、笑いあり、涙あり、ここにはたくさんの夢が詰まっています。

タイトル：『007』シリーズ

紹介者：鈴木光司《すずきこうじ》　小説家

小説家になれたのは母のおかげと大いに感謝している。物心つくかつかない頃から、母の好みで洋画ばかり観せられ、小学生の頃に書いた小説や脚本の舞台は全てアメリカであった。中学生の頃は、母子揃って『００７シリーズ』に熱中し、強くてモテる主人公に憧れ、「大人になったらジェームズ・ボンドになる」と決めた。還暦を超えたいま、髪の薄さだけはショーン・コネリーに近づきつつある。

タイトル：『スラムドッグ$ミリオネア』

紹介者：嶋田《しまだ》うれ葉《は》　脚本家

自分の人生を精一杯生きようと思える映画です。理不尽で不条理な世のなかでも、人を思う気持ちは同じ。世界の広さを知り、どっぷりと映画の世界観に浸れます。娘が14歳になって、自分の状況に不満を抱いた時に見てほしい！（笑）

タイトル：『小さな恋のメロディ』

紹介者：前川《まえかわ》 淳《あつし》　脚本家

少年少女の淡い恋愛を描いた作品ですが、同時に大人への反発を描いた作品でもあります。ぼくが観たのは十二歳の時ですが、忘れられない作品となりました。思春期の世代にこそぜひ、観てほしい映画です。

タイトル：『燃えよ剣』

紹介者：山本《やまもと》むつみ　脚本家

土方歳三に心奪われ、箱館五稜郭や終焉の地などを「聖地巡礼」。頼まれもしないのに『歳三異聞』という短編時代小説を書いて、国語の先生に提出したりしていました。きっとそれが、いまの仕事の原点です。

タイトル：『大逆転』

紹介者：土橋《どばし》章宏《あきひろ》　脚本家／小説家

初めて映画を見て笑い転げた作品。人種や立場や貧富を越えて親友になる二人に胸が熱くなります。このあと、エディ・マーフィの『ビバリーヒルズ・コップ』にもハマりました。コメディが好きな人は見てみてください！

タイトル：『小さな恋のメロディ』

紹介者：岡田《おかだ》恵和《よしかず》　脚本家

初めて一人で、何度も観に行った映画。中学生の私はこの映画に恋をしたんだと思います。ラスト、トロッコにのって主人公たちは自由に向かって去っていきます。あの二人はどうなっただろうかといまも時々考えます。

タイトル：『夏の庭—The Friends—』

紹介者：長田《おさだ》育恵《いくえ》　脚本家・劇作家・「てがみ座」主宰

少年たちが出会う「ひとつの死」。けれどそれは人と心を深く通わせあい、喪《うしな》うもの以上に大切なものを抱く、忘れがたい夏となる。文章を通し、彼らが視ている景色が鮮やかに伝わってきて、心に深く焼き付きました。

タイトル：『ブラック・ジャック』

紹介者：林《はやし》 海象《かいぞう》　映画監督

物語の全てが凝縮している手塚治虫作品。手塚は映画からマンガを発明した天才。映画やシナリオを目指すならまず手塚治虫を読んでね。

タイトル：『クール・ランニング』

紹介者：広田光毅《ひろたみつたか》　シナリオライター

実話を基にしていますが、なにより「雪と無縁な国の若者がボブスレーでオリンピックに挑戦する」という設定の発想と逆境のなかで仲間と絆を結び、人間的に成長してゆく姿、そしてラストシーンの「そうきたか」の感動。夢物語的なラストですが「なにかに懸ける人の姿は胸を打つ」ということを教えられました。拍手を送る観客やライバルの姿まで美しかったです。

タイトル：『夏の夜の夢』

紹介者：待田堂子《まちだとうこ》　脚本家

幼い頃からよく父にお芝居を観に連れて行ってもらっていました。その影響でシェイクスピアが好きになり、最初に読んだ作品は『夏の夜の夢』でした。妖精パックの早とちりによるドタバタ劇はとっても愉快で、脚本を書きたいと思った原点かもしれません。

タイトル：『ダーククリスタル』

紹介者：坂口理子《さかぐちりこ》　脚本家

ものづくりのすばらしさとツクリモノの楽しさを教えてくれた映画です。CGでなんでもできるいまからは、信じられないほどムダに（褒めてます笑）手が込んでいますが、創り手のこれやりたい！がみっしり詰まっています。

タイトル：『コインロッカー・ベイビーズ』

紹介者：森《もり》 美《み》樹《き》　小説家

両親や学校、自分をとりまく全てに倦《う》んでいた頃、「コインロッカーで生まれた子ども」の人生は衝撃的で、本の持つ熱量に圧倒されました。無気力だった私に力を与えたのは、頭のなかの冒険だったのです。

タイトル：『赤毛のアン』シリーズ

紹介者：大山《おおやま》 淳《じゅん》子《こ》　小説家＆脚本家

中学の図書室で出会って夢中になり、シリーズ十巻を小遣いで買いそろえました。授業中も教科書に隠して読みつづけ、何度も読み返し、いまも本棚にあるヨレヨレの本。多視点でキャラクター小説。私の作風の原点です。

タイトル：『宮本武蔵』全五部作（監督 内田吐夢）

紹介者：鷹井《たかい》 伶《れい》　小説家

ただの暴れ者に過ぎなかった武蔵が剣の道を歩むことで、人として生きることの意味を得ていく――強さばかりでなく、人間の愚かさや弱さなどさまざまな面を描いた大娯楽映画です。CGなしの殺陣の迫力、画面からほとばしる凄まじい熱量を感じてほしいです。

エピローグ

おれたちは、ふみだしたんだ

半歩かもしれないけれど……

どん帳が上がり、たったいま芝居を終えた演劇部の連中が、深々と頭を下げる。底冷えする体育館の乾いた空気が、静まり返る。

どよめきとともに、生徒たちからの拍手が響きわたる。

パチパチパチパチパチ！　パチパチパチパチパチ‼　おれも、力いっぱい拍手をする。そんなおれの肩を、うしろの席の修二がバンバン叩く。修二の顔も、紅潮している。

「マーシー、いてぇよ」

おれは修二のほっぺたを手ではさむ。

舞台袖にいる大田垣さやかと目があう。修二と二人、親指を立てる。大田垣さやかも、親指を立てる。リザブーも、大田垣さやかの横で親指を立てている。なんだかちょっと似合わない。

というか、こんなにウケるか？　米騒動から着想した焼きそばパンの値上げを阻止しようとする学園コメディが……。

大田垣さやかが、マイクを持って舞台に立つ。マイクをトントンと指で叩くと、体育館が落ち着きを取り戻す。

「今回の作品は、演劇部以外の人にも、台本つくりに協力してもらいました。顧問の村田先生、そして……」

おれは、ここまで聞いて悪い予感がしてくる。大田垣さやかが、こちらを見る。うそだろ、絶対おれの名前をだすなよ！　おれは思わず、顔を伏せる。

「小早川光くんと真嶋修二くんの二人です。みなさんに『マーシーひかる』を紹介します。壇上へどうぞ」

やりやがった！　大田垣さやかのヤツ。会場からは、クスクスと笑い声が漏れる。「『マーシーひかる』ってなんだよ」って声も聞こえる。なにしてくれたんだ、大田垣さやか！

修二が席を立ち、おれの肩をツンツンと叩く。おれは顔を上げられない。

「ひーちゃん、ぼくたちはあの日から変わったんじゃないの？」

顔を上げると、修二がいつかのようにさみしそうな顔をして、おれを見下ろす。

「ひーちゃん、ぼくは先に行くよ」

そう言って修二が舞台へと向かう。

舞台上から「小早川くんも」と、大田垣さやかが呼びかけてくる。全校生徒の視線がおれに集まる。冷たい汗がわきの下をつたう。おれは……作者の一人として、人前に立つのか……。

心臓が異常な速さで脈打つ。ドクドクドクッ、ドクドクドクッ……あぁこの音、この音は初めてかずちゃんから「ドラマとは、人間を描くこと」って言われた時に聴いた、おれの心臓の音。そうか、そうだよ。そうだよな！

おれは立ち上がって、舞台へ向かう。たった数メートル先なのに、死ぬほど遠く感じる。舞台に上がると、大田垣さやかが「んっ」と言っておれにマイクを渡そうとする。リザブーがうなずく。修二が「ひーちゃん」とささやいて、おれの背中をそっと押す。躊躇《ちゅうちょ》するおれの胸に、大田垣さやかがマイクを突きつける。受け取れずにいると、今度はマイクを胸に押しつける。

大田垣さやか、修二にリザブーが、おれのことをじっと見つめる。いつかの仕返しかよ、と思いながら、おれは大田垣さやかからマイクをふんだくる。

深呼吸を一つ。おれは一息で言い切る。

「お、おれたちには共通していることがあって、それは物語つくりが好きだってこと。そして、**恥をかいても、バカにされても、好きなことを好きなだけやってみようと、腹をくくった**

こと。そう、腹をくったんです。まだ半歩かもしれないけれど、ふみだしました！」

おれのうわずった声で、マイクが少しハウリングする。静まり返った会場に、キィーンという高い音だけが響く。

「ほ、本日は、ありがとうございました」

そう言って深々と頭を下げる。修二に、大田垣さやか、いつの間にかその横に立つリザブー。そして演劇部の連中がつづく。

腹をくったはずなのに、おれは怖くて、なかなか頭を上げられない。すると、さっきよりも大きな拍手が、体育館に響く。おれは、顔だけ上げて客席の方を見る。修二と大田垣さやかが、おれの肩をバンバン叩く。

なんだか、できすぎな気がする。こんなものはビギナーズラックってやつだ。周りの評価は、気にしないでおこう。おれたちが物語をつくったことが、なによりも大切なんだから。

おれは、客席の光景を目に焼きつけるため、もう一度深呼吸をして客席を眺める。次は誰かが、このおれの姿を見て物語つくりをはじめるのだろうか。もしもおれみたいな奴がいたら教えてやろう。不思議な、あのツアーのことを。

「え、あれ？」

おれは目をこする。かずちゃんと司書じいさんが客席のうしろの方に座っている。司書じいさんはこちらを見て、ニコニコと笑っている。かずちゃんは、指で拳銃の形をつくって「ズキューーン！」とやっている。

おれは慌てて、修二と大田垣さやかの肩を叩く。客席の方を見返すと、かずちゃんと司書じいさんの姿は、どろんとばかりに消えている。

修二と大田垣さやかが、おれの顔をのぞき込む。おれはあごのあたりをトントンと叩く。おれは二人の目をまっすぐ見る。

「おれたちの『マジカル・ミソ帳ツアー』は、まだまだつづくよな」

二人がニヤニヤしながら、うなずく。

おれは、あらためて客席全体をゆっくりと眺める。そして、つぶやいてみる。

「君たちは
物語を読むのと、
物語をつくるの、
どっちが好き？」

おわりに

「マジカル・ミソ帳ツアー」は終わらない

あなたのそばに、本書を置いてもらえたら

十四歳のみなさん、「マジカル・ミソ帳ツアー」に、大満足してもらえましたか？　ひーちゃんや修二、そしてさやっちのように、物語つくりをしたいけど何をすればいいのかわからないというみなさんの、行く道を照らす一冊になっていたら、嬉しいです！　彼らは、いまの、これからの、もしくはこれまでの、あなたかもしれません。物語を書きつづけるあなたのそばに、本書が何十年も置かれることを願っています。

保護者のみなさん、教育関係のみなさん、子どもたちの想像力は凄すぎて、物語の内容が理解できないこともあるかもしれません。そんな時は、よいところを見つけて褒めてください。子どもたちの「好き」を、一緒に盛り立てましょう！

どうやって褒めるところを見つけるの？　と思ったら、本書をもう一度手に取ってください。シナリオ・センター式の物語のつくり方なら、必ずお子さんたちの工夫の「印」に気づけますから。

■「マジカル・ミソ帳ツアー」を支えてくれたみなさまへ

「考える部屋」に参加している十代のみんな、本書を書くか迷っている時にあと押ししてくれて、ありがとう。編集者の玉屋さんとイラストレーターのオビワンさんの手で、「かずちゃん」は妖精になりました。

出身ライターのみなさま、子どもたちへのおすすめ作品を教えてくださり、厚く御礼申し上げます。子どもたちは、素敵な先輩を得ることができました。

祖父である新井一の「作家の眼」という言葉とシナリオ・センターがなければ、いまの私も、本書も前著『シナリオ・センター式 物語のつくり方』（日本実業出版社）もありません。シナリオ・センターが当たり前のようにある「いま」を築いてくれた講師のみなさん、事務局の仲間たち、そして受講生のみなさんに恥じない内容となっていることを願っています。

「お父さん、お仕事？」と、休みの日にもたどたどしい言葉で無駄に私の背中を押す二歳になりたての君と、それをニヤニヤしながらあおる妻にも感謝。君のひいおじいちゃんとおばあちゃんは、すごいんだよ！

あ、そうそう。十二年後、シナリオ・センターでひーちゃんと修二が司書じいさんにそっくりな新井一さんのパネルを目にする、というのは、また別のお話。

最後に、私の大好きなおじいちゃんの言葉をみなさんに贈ります。

「あえて才能というのなら、書きつづけることなのです」新井一

ミソ帳と一緒にあなたの創作をつづけてください！　人からなにを言われようと、好きなことをつづけているあなたは、楽しく生きていけるから!!

シナリオ・センター　新井一樹

巻末特典

～「もっと知りたいこと」がある君へ～

『シナリオ・センターが伝える　14歳からの創作ノート』
読者のみなさんに向けた特典動画！

特典動画 ❶
「アイデア出しにオススメ！
マインドマップの使い方」

特典動画 ❷
「『14歳からの創作ノート』未掲載！
魅力的なセリフのつくり方」

特典動画 ❸
「文章読解にも役立つ！
映画や小説など、今まで以上の楽しみ方」

新井《あらい》　一樹《かずき》

1980年生まれ。読み書きが苦手な幼少期を経て、区立麹町中学校、都立晴海総合高校を卒業。日本大学芸術学部、同大学院芸術学研究科を修了。芸術学修士。

シナリオ・センターを創設した祖父・新井一による「シナリオの基礎技術」を、伝えたい想いを持つ人に届けるために、2010年より「一億人のシナリオ。」プロジェクトを統括。小・中学校向け出前授業を、のべ5000名以上に実施。2021年から10代向け創作講座「考える部屋」を開講。

その他、シナリオ講座の改善、制作会社向け研修、一般企業向けプレゼン研修を担当。著書に『シナリオ・センター式 物語のつくり方』（日本実業出版社）など。

中学時代は『行け！稲中卓球部』を愛読。

シナリオ・センター取締役副社長。

大人《おとな》になっても「書《か》くこと」を好《す》きでいたい君《きみ》へ
シナリオ・センターが伝《つた》える
14歳《さい》からの創作《そうさく》ノート

2024年6月19日　初版発行

著者　新井《あらい》　一樹《かずき》
発行者　山下　直久
発行　株式会社KADOKAWA
〒102-8177 東京都千代田区富士見2-13-3
電話 0570-002-301（ナビダイヤル）

印刷所　TOPPAN株式会社
製本所　TOPPAN株式会社

ISBN 978-4-04-606890-3　C0093